Hermann Baum

Giergl - Kölber - Schlick

Sie kamen nach Budapest und prägten die Stadt

Bibliographische Information der Deutschen Nationalbibliothek: Die Deutsche Nationalbibliothek verzeichnet diese Publikation in der Deutschen Nationalbibliographie; detaillierte Daten sind im Internet über http://dnb.dnb.de abrufbar.

Umschlaggestaltung: Hermann Baum

Herstellung: und Verlag BoD – Books on Demand, Norderstedt
ISBN 9783748102243

Inhalt

Vorwort

Städte haben ihre Geschichte, die vor allem auch eine Geschichte ihrer Einwohner ist. Manche von ihnen hinterlassen – aus verschiedensten Gründen – deutliche Spuren in der Stadt. In Buda-Pest sind es neben vielen anderen auch die Familien Giergl, Kölber und Schlick, für die das zutrifft. Sie kamen im 18. Jahrhundert in die aufblühende Stadt an der Donau: der Schneider Martin Gergl, der Maurergeselle Christian Schlickh und der Sattlergeselle Casimir Kälber.

Nicht nur die Familiennamen änderten sich im Laufe der Zeit: aus Gergl wurde Giergl, Schlickh vereinfachte sich zu Schlick, und Kälber wandelte sich zu Kölber. Auch und vor allem die ausgeübten Berufe blieben nicht dieselben: Die Familie Giergl brachte Künstler und Kunsthandwerker hervor; die Familie Kölber produzierte Kutschen, die nicht nur in Ungarn, sondern auch im europäischen Hochadel ihre Käufer fanden; und die Familie Schlick wurde mit einem breiten Programm von Gießereiprodukten bekannt.

Alle drei Familien haben das kulturelle Leben Budapests maßgeblich mitgeprägt, und so verdienen sie es, daß ihre Spuren so weit wie möglich zurückverfolgt und wieder sichtbar gemacht werden: es sind zeitlich und räumlich verblasste Spuren; Spuren, die leider auch z.T. verfälscht bzw. bislang falsch gelesen wurden.

Die Darstellung der drei Familien hat jeweils folgenden Aufbau:
- Am Beginn steht ein Blick auf den Herkunftsort der Familie.
- Es folgt eine kurze Beschreibung der Personen, die für die jeweilige Familie besonders wichtig sind, wobei zwei Kriterien maßgeblich sind: *Genealogisch wichtig* sind natürlich die direkten Vorfahren (Eltern) für die Nachkommen (Kinder und Kindeskinder). *Kulturell und familiengeschichtlich wichtig* sind die Personen, die einen bedeutsamen Beitrag geleistet haben für das, was die Familie speziell geleistet und hervorgebracht hat.
- Im Anschluß daran steht ein Familienstammbaum, der einen Gesamtüberblick vermitteln soll. Als Zeitgrenze gilt dabei i.d.R. das Jahr 1900.
- Kopien wichtiger Familiendokumente belegen abschließend die aufgestellten Behauptungen.

1. Die Familie Giergl

***In Glasvitrinen und Schaukästen** erwarteten den Besucher meisterhafte Silberschmiedarbeiten, stilvolle und reich verzierte Produkte aus Glasbläser-Werkstätten und höchst interessante historische Spielkarten. Schritt er weiter, so sah er zahlreiche Blicke auf sich gerichtet: an den Wänden hingen in kostbaren Rahmen die Porträts wohlhabender Bürger und hochgestellter Persönlichkeiten - exquisite Gemälde des 19. Jahrhunderts.*

Bei alldem handelte es sich um Werke, die von Künstlern und kunstfertigen Handwerkern einst geschaffen worden waren, die eins gemeinsam hatten: sie alle hießen Giergl.

Die Ausstellung war im Budapester Historischen Museum (Budapesti Történeti Múzeum) in der Budaer Burg organisiert worden und konnte vom 4. Oktober 2006 bis zum 11. Februar 2007 besichtigt werden. Ermöglicht worden war sie durch Leihgaben aus zahlreichen öffentlichen Sammlungen wie auch durch Angehörige der Familie Giergl, die bereit waren, in ihrem Besitz befindliche Arbeiten ihrer Vorfahren zur Verfügung zu stellen.

1.1. Die Herkunft der Familie

Nach familiärer Überlieferung kam Martin Gergl, der früheste bekannte Vorfahr, aus Tirol. Belegt ist das nicht.

Der Familienname Gergl oder auch Görgl bzw. Giergl findet sich nicht nur in Tirol (Österreich), sondern auch in Tschechien, in der Slowakei und in Deutschland. Es ist nichts bekannt, was eher für die Herkunft aus Tirol spricht. So ist zu vermuten, daß es sich wohl usprünglich nur um eine simple Vermutung gehandelt hat, aus der im Laufe der Zeit eine Behauptung wurde. Tirol bleibt weiterhin eine Option, aber eben nur eine neben anderen.

Da der Familienname Gergl mit all seinen Varianten nicht gerade selten ist, könnte der Vorfahr Martin Gergl und sein Herkunftsort allenfalls durch einen Zufallstreffer gefunden und identifiziert werden. Erfolgversprechender scheint die Suche über den Familiennamen seiner Frau zu sein: Anna Maria Wallmannstorffer. Der Name Wallmannstorffer ist extrem selten.[1] Aber diese Suche kann nicht die Aufgabe dieses Büchleins sein. Die Frage nach der Herkunft der Familie Giergl bleibt somit offen.

1 Selbst bei *Familysearch*, das Hunderte Millionen Familiendokumente zusammengetragen hat, findet man den Namen nicht in den indexierten Dateien!

1.2. Wichtige Angehörige der Familie Giergl

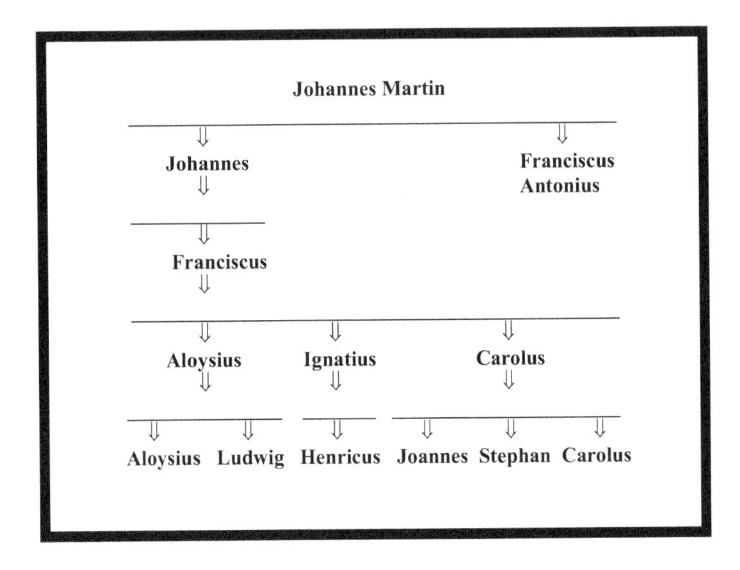

Johannes Martin Gergl[2] (*ca. 1676 – +7.6.1752) und Anna-Maria Wallmannstorffer (*ca 1700 - +30.10.1783)

Das Wissen der Familie Giergl um ihren frühesten bekannten Vorfahren ist sehr bescheiden. Selbst sein Vorname Johannes ist ihr nicht bekannt. Man behauptet, daß er 1724[3] nach (Buda-)Pest gekommen sei und - was belegt ist - 1728 als Schneidermeister sowie 1729 als Pester Bürger anerkannt worden sei. Dabei geht man offensichtlich davon aus, daß er als junger Mann gekommen war, der irgendwann einmal geheiratet und mit seiner Frau 6 Kinder in die Welt gesetzt hat: Maria Elisabetha (1728), Joannes (1730), Maria Anna (1732), eine zweite Maria Anna (1734), Anna Helena Christina (1736) und Franciscus Antonius (1738).

Wenn man ins Budapester Stadtarchiv gegangen wäre[4], hätte man das Testament des Johan Martin Gergl gefunden und ein ganz anderes Bild von ihm gewonnen. Der Text des Testaments lautet in heutigem Deutsch:

2 Sein Testament unterzeichnet er mit: *Johanmarthin Gergl* [sic!].

3 Worauf sich dieses Datum stützt, ist überhaupt nicht ersichtlich.

4 Das Gesamtbild der Daten, welche die Familie in ihrem Stammbaum veröffentlicht hat, macht deutlich, daß nie ernsthafte Archivforschung betrieben worden ist. Viele Daten fehlen oder sind falsch; selbst Familiennamen von Ehefrauen sind falsch.

Im Namen der Allerheiligsten Dreifaltigkeit, Amen
Da das Menschenleben in dieser betrüblichen Welt sehr kummervoll ist und nichts gewisser ist als der Tod, wobei dessen Stunde aber ungewiß ist, so habe ich – in Betrachtung dessen zwar krank danieder liegend, aber bei vollen Geisteskräften – ein Testament bzw. eine letztwillige Verfügung, was mit meinem wenigen Vermögen nach meinem Tod geschehen soll, errichten und durch die hierzu erbetenen Herren Zeugen bekräftigen lassen, und zwar wie folgt:
Erstens: Wenn Gott, der Allmächtige, meine arme Seele vom Leib abfordern wird, empfehle ich diese der gnädigen Barmherzigkeit ihres Erlösers und Seligmachers, den Leib aber der Erde, von der er gekommen ist; und ich will, daß mein Leib so beerdigt werden soll, wie es meine Ehefrau Anna Maria für gut heißt.
Zweitens: vermache ich der hiesigen Stadt-Pfarrei für notwendige Zwecke 5 (Forint) und dem hiesigen Bürgerspital 2 (Forint), um für meine arme Seele zu beten.
Drittens: das Zeitliche betreffend, ist mein vollkommener Wille: ich vermache
1tens meinem Sohn aus erster Ehe, Michael Giergl, 15 (Forint),
desgleichen meinen zwei Söhnen aus zweiter Ehe, Bernadt-Ferdinand und Joseph Giergl jeweils 15 (Forint), zusammen also 30 (Forint).
Diese vorangehenden Vermächtnisse will ich so eingehalten haben, daß für den Fall, daß [nur]einer oder keiner meiner drei genannten Söhne zum Vorschein kommt, das Legat meiner jetzigen Ehefrau zufällt.
2tens vermache ich jedem meiner Kinder aus dritter Ehe: Joseph Simon, Johannes und Antonius 60 (Forint), zusammen also 180 (Forint); und zwar mit der Bedingung, daß diese meine erstgenannten Söhne – im Fall, daß meine Ehefrau Witwe bleibt, es sei denn, daß dies ihr freier Wille ist – von diesen ihnen jeweils legierten 60 (Forint) nichts verlangen können: für den Fall aber, daß meine Ehefrau wieder heiraten sollte, so soll jedes Legat nach Ablauf eines Jahres nach der Heirat ausgezahlt werden. Im Übrigen
Viertens und letztens soll meine Ehefrau Universalerbin meines wenigen Vermögens sein; doch sie soll an meine drei Kinder denken und ihnen eine gute Mutter sein.
So geschehen in Pest, am 4. April 1752 (gez.) Johanmarthin Gergl.
Daß voranstehender letzter Wille dem Testator nochmals Wort für Wort vorgelesen wurde und er (ihn) so in jeder Hinsicht eingehalten haben will, bezeugen hiermit unter dem oben genannten Datum
(Siegel) Laurentius Pichler, Actuarius und als erbetener Zeuge
(Siegel) Georg Michael Tausch als erbetener Zeuge
(Siegel) ....(?) Eyserich als erbetener Zeuge
(Siegel) Sephrin Mohr als erbetener Zeuge
(Siegel) Lambert Krachenfels als erbetener Zeuge

Aus diesem Testament sowie aus Eintragungen in den Pester Kirchenbüchern ergibt sich folgender Sachverhalt:
Joannes Martin Gergl starb 1752 im Alter von 76 Jahren und muß bei seiner Ankunft in Pest bereits ca. 50 Jahre alt gewesen sein. Anna Maria Wallmannstorffer war seine 3. Ehefrau. Aus seiner ersten Ehe erwähnt Martin Gergl in seinem Testament den Sohn Johann Michael und aus seiner zweiten

Ehe die Söhne Bernadt Ferdinand und Joseph.

In den Kirchenbüchern von Orszagut (Buda) gibt es eine interessante Eintragung: Am 11.12.1729 wird Thomas getauft: sein Vater ist Johann Michael Girgle, seine Mutter heißt Eva. Weitere Einträge zu Johann Michael Girgle gibt es allerdings nicht. Bei Johann Michael Girgle könnte es sich um einen der Söhne von Martin Gergl handeln.

Zu seinen Söhnen aus den ersten beiden Ehen hatte Martin Gergl offenbar keinen Kontakt mehr, als er sein Testament verfaßte. Nur, wenn sie sich sehen lassen würden, sollen sie erben.

Wann und wo Johannes Martin Gergl seine dritte Ehefrau geheiratet hat, ist nicht bekannt. Als sie 1783 in Pest starb, war sie laut Kirchenbucheintrag 83 Jahre alt. In dieser dritten Ehe mit Anna Maria Wallmannstorfer werden acht Kinder geboren: Joseph Simon (er wurde nicht in Pest getauft!), Maria Elisabeth (1729), Johann (1730), Maria Anna (1732), eine zweite Maria Anna (1734), Anna Helena Christina (1736), Franciscus Antonius (1738) und Michael (1744). Bis zur Niederschrift des Testaments im Jahre 1752 überleben allerdings nur die drei älteren Söhne[5].

Die Tatsache, daß der Taufeintrag für Joseph Simon sich nicht in Pester Kirchenbüchern findet, stellt die familiäre Behauptung in Frage, daß Martin Gergl bereits 1724 in Pest angekommen sei. Simon Joseph müßte ja zuvor, also spätestens 1723 geboren worden sein; warum gibt es dann keine Taufen von Giergl-Kindern in den Jahren von 1724 bis 1729?

Die Ankunft der Giergl in Pest wird wahrscheinlich erst um 1726/1727 stattgefunden haben. 1728 wird Martin Gergl von der Zunft der deutschen Schneider als Meister anerkannt; üblicherweise mußte man zuvor zwei Jahre als Geselle gearbeitet haben. Das spricht dafür, daß Martin Gergl um 1726, wenn nicht gar erst 1727[6] in Pest angekommen sein dürfte und Joseph Simon Giergl um 1725/1726 geboren wurde. Das würde besser passen.

Johannes Giergl (*21.2.1730 - +vor seiner Frau) und Theresia Beyd (*ca 1729/30 in Österreich - +21.7.1800)

Wie sein Vater Johannes Martin wird auch Johannes Giergl Schneider. Am 29. September 1751 wird er von der deutschen Schneider-Zunft als Meister anerkannt, und am 9. März 1752 wird ihm das Pester Bürgerrecht zugesprochen. Am 31. Oktober heiratet er die aus Österreich stammende Theresia

5 Die Tochter Anna Helena Christina steht auf der Liste der Pest-Toten der Stadt Pest.

6 Möglicherweise hat die Zunft angesichts des Alters und der Berufserfahrung von Martin Gergl bei ihm eine Ausnahme gemacht und die übliche Wartezeit verkürzt.

Beyd[7].

Das familiäre Wissen[8] über die Kinder von Johannes Giergl und Theresia Beyd kann man nur chaotisch nennen: Kinder werden genannt, die nicht existieren, und Kinder, die geboren wurden, bleiben unerwähnt. Von den angegebenen Taufdaten sind viele falsch: ein 1. Kind (ohne Namen und ohne Taufdatum), dann Johannes (ohne Taufdatum), Eva (1756), Elisabeth (1759), Adalbert (1762), Maria Catharina (1764), Franciscus (1765) sowie die Zwillinge Leopold und Franciscus Seraphicus (1771).

Im Kirchenbuch sind dagegen folgende zehn Kinder eingetragen: Elisabeth (1752), die früh verstirbt, Elisabeth (1753), Catharina (1755), Eva (1756), Johannes (1759), Maria Anna (1764), Franz Xaver (1765), Adamus (1769) sowie die Zwillinge Leopold und Franciscus Seraphicus (1772).

Franciscus Antonius Giergl (*7.4.1738 - +28.6.1776 Weyna), ein jüngerer Bruder von Johannes Giergl, ist eine höchst interessante Person. Die Familie berichtet über ihn, daß er am 18. Oktober 1757 in Pest als Schneidermeister anerkannt worden sei und Catharina Knurin (sic!) geheiratet habe. Laut Kirchenbucheintrag hieß seine Ehefrau aber **Catharina Kun (*12.5.1733 - +16.3.1825)** .[9] Sie starb laut Kirchenbuch im hohen Alter von 90 Jahren. Ihr Vater war Nadler (*acuarius*).

Nun mag es sein, daß Franciscus Antonius Giergl zunächst als Schneider gearbeitet hat. Irgendwann muß er aber eine Zusatzausbildung genossen haben. Jedenfalls stirbt er 1756 in Weyna[10] und ist zu diesem Zeitpunkt k.k. Cameral-Ingenieur. Bei der Inventarisierung seiner Hinterlassenschaft (darunter vor allem Bücher und Gerätschaften eines Cameral-Ingenieurs) ist auch sein älterer Bruder Joannes beteiligt.

Franz Xaver Giergl (*29.8.1765 - +5.2.1825) und
1. Ehefrau: Anna Puczer (*26.6.1766 - +26.12.1789)
2. Ehefrau: Rosalia Kurz (*24.8.1769 – +16.2.1846)

Franz Xaver Giergl folgt seinem Großvater und seinem Vater: wie sie erlernt er das Schneiderhandwerk. Am 27. Juli 1786 wird er als Meister ins Zunft-

---

7 Ihr Familienname ist Beyd. Als Theresia Beydin (sic!) steht sie im Kirchenbuch; aber die Endung „-in“ wurde (und wird bis heute mancherorts) an den Familiennamen nur angehängt, um eine Person als weiblich zu kennzeichnen. Der im Internet von der Familie Giergl veröffentlichte Stammbaum behauptet fälschlicherweise, daß ihr Name Beydr bzw. Beydrin (sic!) sei. Von einem „r“ ist im Kirchenbucheintrag nichts zu sehen.

8 Im Internet hat die Familie Giergl unter *Giergl család* einen Stammbaum (*új családfa*) veröffentlicht, der das belegt.

9 Als Ehefrau von Franciscus Antonius Giergl kommen zwei Personen in Frage: es sind die Schwestern Catharina Dominica Kun *12.5.1733 und Anna Catharina Kun *3.4.1736. Vermutlich ist es aber doch die ältere, deren 1. Vorname Catharina ist.

10 Rätselhaft ist der im Inventarisierungs-Dokument angegebene Sterbeort Weyna (Weyra?). Vielleicht ist Weyer in Oberösterreich gemeint.

buch eingetragen.
Am 2. August 1788 erhält er das Pester Bürgerrecht.[11] Und am 27. Juli 1807 wird er zum Pester Wahlbürger ernannt. 1808 avanciert er zum Obervorsteher der deutschen Schneiderzunft.
Was die Familie Giergl in ihrem veröffentlichten Stammbaum nicht vermerkt und wohl nicht weiß: Franciscus Giergl war zweimal verheiratet.
Mit Anna Puczer (* 26.6.1766 - +26.12.1789), die er am 9.12.1786 heiratet, hat er zwei Kinder: Joseph (1787) und Elisabeth (1789).
Rosalia Kurz, die 2. Ehefrau, ist die Tochter des Gärtners Simon Kurz, dessen Vater – Franz Xaver Kurz – aus Augsburg nach Pest gekommen war. In dieser Ehe werden zehn Kinder geboren: Franz (1791), Aloysius (1793), Anton (1794), Joseph (1795), Franz Xaver (1797), Ignatius (1798), Anna (1800), Joannes (1801), Carolus (1802/1806)[12] und Joannes Evangel. (1803).

Es sind Kinder und Enkel Franz Xaver Giergls, die mit ihrem künstlerischen Schaffen von sich reden machen:

Aloysius Giergl d.Ä. (*22.2.1793 - +17.8.1868) und Anna Bayer (*1801 Prag – +29.11.1846)

Aloysius Giergl, Sohn von Franciscus Giergl, wählt einen völlig anderen Beruf als sein Vater: 1807 wird er Lehrling von Leopold Fischer, der ihn zum Silberschmied ausbildet. 1817 wird er als Meister in die Zunft aufgenommen. Erstaunlich viele seiner Werke sind erhalten geblieben und zeugen von seinem hohen beruflichen Können, das ihm beträchtlichen Reichtum bescherte. 1818 heiratet er die aus Prag stammende Anna Bayer, Tochter des Kunstmalers Joseph Bayer. Das Ehepaar hat elf Kinder, darunter auch die Söhne Aloysius und Ludovicus.

- Sohn: Aloysius Giergl d.J. (*13.12.1821 - +23.10.1863[13])

Der 1821 geborene Sohn Aloysius (Alajos) lernte zunächst bei seinem Vater (Aloysius Giergl d.Ä.) den Silberschmiedberuf. Nachdem aber sein außerge-

11 Die Familie Giergl behauptet fälschlicherweise, daß das Bürgerrecht am 28.8.1788 erteilt worden sei; da sucht man vergeblich in den Ratsprotokollen.

12 Die Datierung der Taufe von Carolus Giergl ist schwierig. Ein Taufeintrag in den Kirchenbüchern wurde bislang nicht gefunden. 1802 oder 1806 kommen in Frage. Die Familie Giergl behauptet ohne Beleg, daß er 1802 geboren worden sei. Bei seiner Trauung mit Maria Bellitzay 1827 ist er angeblich 25 Jahre alt und könnte 1802 geboren sein. Das Alter, das bei seinem Bürgerrecht vermerkt ist, spricht auch für 1802. Bei seiner Trauung mit Rosalia Pagyi (Bagi) im Jahre 1852 ist er aber angeblich 46 Jahre alt und könnte somit auch erst 1806 geboren sein.

13 In Szentistvanvaros. Das mancherorts zu lesende Sterbedatum 22.9.1863 ist falsch!

wöhnliches Mal-Talent entdeckt worden war, wurde er Schüler von József Peschky und studierte im Anschluß (1841-1843) an der Akademie der Künste in Wien. Nach seiner Rückkehr nach Pest schuf er Gemälde aus dem bürgerlichen und dem historischen Genre, nahm auch kirchliche Aufträge (Altargemälde) an. Bekannt und berühmt wurde er aber hauptsächlich durch seine Porträts (Angehörige wohlhabender Bürgerfamilien, Adliger und sehr hochstehender Persönlichkeiten wie Deak Ferenc und Istvan Szechenyi). Die meisten seiner Bilder befinden sich heute noch in Privatbesitz, viele sind aber auch in Ausstellungen großer Galerien zu bewundern. Ab dem Jahre 1860 nannte er sich übrigens nicht mehr Giergl, sondern Györgyi.

- Sohn: Ludovicus Giergl (*25.9.1834 - +13.9.1905 Wien)

Auch Ludovicus (Lajos) ist ein Sohn von Aloysius Giergl d.Ä. Wie seine beiden Cousins Johannes und Stephan (Söhne von Carolus Giergl) vor ihm, kommt auch er als Spielkartenmaler-Geselle 1854 nach Wien. Er aber bleibt in Wien, arbeitet als Gehilfe eines Spielkartenherstellers[14] und heiratet am 1.6.1862 die Hebamme Leopoldine Maurer (*22.11.1842 - +4.10.1904). Von 1877 bis 1898 ist Ludwig Giergl erfolgreich als Spielkartenmaler-Meister in Wien tätig. Danach führt er eine Papierhandlung. Sein Sohn Stephan arbeitet von 1903 bis 1914 als selbständiger Spielkartenhersteller in Wien.

Ignatius Giergl (*27.7.1798 - +7.6.1865) und Maria Lokheimer (*31.3.1806 - +13.4.1887)

Ignatius Giergl, ein Sohn des Schneidermeisters Franz Xaver Giergl, wurde Glasermeister. Er gründete eine eigene Glasfabrik, deren Waren er auch selbst vertrieb. Henricus Giergl ist eines seiner sechs Kinder.

- Sohn: Henricus Giergl (*9.7.1827 - +11.5.1871)

Nach Beendigung seiner Lehre und jahrelanger Wanderschaft durch etliche europäische Länder übernimmt er 1865, als sein Vater starb, dessen Glasfabrik. Sein Hauptinteresse liegt allerdings in der Glasveredelung und in der Glasmalerei. Auf diesem Gebiet erreichen seine Arbeiten hohes internationales Niveau. Im Jahre 1898 wurde eine beträchtliche Anzahl seiner erhalten gebliebenen Werke dem Museum für angewandte Kunst geschenkt.

Carolus Giergl (*1802 / 1806 – + nach 1868) und 1. Ehefrau Maria Belitzay (*23.6.1795 Taban - + 4.2.1852)

Carolus Giergl ist - neben dem Silberschmied Aloysius Giergl d.Ä. und dem Glasmachermeister Ignatius Giergl – ein Sohn des Schneidermeisters Franz

14 Vielleicht bei Michael Schinkay, der sein Trauzeuge war.

Xaver Giergl: bekannt wird er als Hersteller künstlerisch bedeutsamer Spielkarten. 1847 ist er Vorsteher der Spielkartenmaler in Pest.
Auch er war – was der Familie Giergl bislang offenbar entgangen ist - zweimal verheiratet. In seiner ersten Ehe mit der knapp zehn Jahre älteren Maria Belitzay (aus Taban) wurden die Söhne Johannes und Stephan geboren. In seiner zweiten Ehe mit der gut zwanzig Jahre jüngeren Rosalia Pagyi (aus Tata) der Sohn Carolus. Alle drei Söhne wurden – wie ihr Vater – Spielkartenmaler.

- Sohn: Johannes Giergl (*29.4.1828 – nach 1875[15])

1848 kommt er für ein halbes Jahr als Kartenmalergeselle nach Wien. Um 1850 übernahm er angeblich die Spielkarten-Firma von Edmund Chwalowsky in Pest. Zehn Jahre später wurde er Mitarbeiter seines jüngeren Bruders Stephan. Bis 1867 steht er allerdings auch noch mit eigener Spielkartenfabrik im Adress-Kalender von Pest.

- Sohn: Stephan Giergl (*1.8.1831 - +nach 1892)

1849 bis 1850 hält er sich als Kartenmaler-Geselle in Wien auf. Seine eigene Fabrik gründet er 1852. Schon acht Jahre später hat er die höchste Spielkarten-Produktion von Pest. Neben Standard-Spielkarten von hohem Niveau produziert er auch Luxus-Ausgaben. Zwar ist er noch 1892 als Spielkartenfabrikant im Budapester Adressenbuch eingetragen, aber die überstarke Wiener Konkurrenz zwingt ihn schon in den achtziger Jahren, die Produktion einzustellen.

2. Ehefrau Rosalia Pagyi (*6.8.1827 Tata - +?)

- Sohn: Carolus Giergl (*16.10.1862 – 26.3.1881)

Wie seine beiden Halbbrüder Johannes und Stephan erlernte auch Carolus den Beruf des Kartenmalers. Allerdings starb er früh, gerade mal 19 Jahre alt, und konnte sich beruflich keinen Namen machen.

15 Rechtsstreit mit Alajos Dernöi am 26.4.1875; s. HU BFL – VII.2.c. - 1875 – I.0094.

1.3. Der Stammbaum der Familie Giergl

A. **Johannes Martin** *ca. 1676 - + 7.6.1752 Pest (76 Jahre alt),
Schneidermeister 1728, Bürgerrecht 13.5.1729
1.oo **N.N.**
B1. Joannes Michael
2.oo **N.N.**
B2. Bernadt Ferdinand
B3. Joseph
3.oo **Anna Maria Wallmannstorffer** *1700 - +30.10.1783 (83 Jahre alt)
B4. Joseph Simon *? - +nach 1752 (lt. Testament des Vaters!)
B5. Maria Elisabeth *18.2.1729 - +vor 1752 (lt. Testament des Vaters!)
B6. **Joannes** *21.2.1730 - +vor seiner Frau (d.h. vor 1800),
Schneidermeister 29.9.1751; Bürgerrecht 9.3.1752
oo 31.10.1751 Theresia Beyd *ca 1729 in Österreich – 21.7.1800 (71 Jahre alt) Pest
C1. Elisabeth *10.11.1752 - +8.8.1753
C2. Elisabeth *19.11.1753 - +?
C3. Catharina *29.3.1755 – 29.4.1755
C4. Eva *21.12.1756 - +?
C5. Joannes 12.12.1759[16]
C6. Maria Anna *17.7.1764 [17]
C7. **Franz Xaver** *29.8.1765 - +5.2.1825
Schneidermeister 27. Juli 1786; Bürgerrecht 2.8.1788
1.oo 9.12.1786 **Anna Puczer** *26.6.1766 - +26.12.1789
D1. Josephus *1.10.1787 - +23.2.1788
D2. Elisabeth *18.11.1789
2.oo 30.5.1790 **Rosalia Kurz** *24.8.1769 – +16.2.1846
D3. Franz *28.7.1791 - + 28.2.1792
D4. **Aloysius** *22.2.1793 – +17.8.1868,
Silberschmied; Bürgerrecht 8.2.1817 (mit seinem Bruder Anton)
oo 19.7.1818 **Anna Bayer** *ca. 1801 in Prag – 29.11.1846 (45 Jahre alt)
E1. Katharina Karolina *27.6.1819
E2. Anna Theresia *20.10.1820 - +1907
E3. **Aloysius** (ab 1860 Györgyi) *13.12.1821 - +23.10.1863, Kunstmaler
1.oo 23.9.1848: Örzsébet Muss *1819 - +1854
2.oo 28.11.1857: Amalia Haliczky *1836 - +1914
E4. Maria Antonia *3.3.1824
E5. Victor *4.3.1827
E6. Antonia Anna *15.2.1829
E7. Amalia *25.9.1830
E8. Johannes Julius *27.3.1832
E9. Ludmilla *4.10.1833
E10. **Ludovicus** *25.9.1834 – +13.9.1905 Wien, Spielkartenmaler; Papierhändler
oo 1.6.1862: Leopoldine Maurer *22.11.1842 - +4.10.1904 Wien, Hebamme
E11. Emilia *4.3.1840
D5. Anton *19.5.1794 - +15.11.1829, Schneider
Bürgerrecht am 8.2.1817 (mit seinem Bruder Aloysius)
oo 9.10.1815: Anna Stütz (Stitz)

---

16 Als Eltern stehen im Kirchenbuch: Joannes Kergel und Theresia.
17 Als Eltern stehen im Kirchenbuch: Joannes Kirgl und Theresia.

E1. Franciscus Salesius 30.9.1816
E2. Maria Theresia *6.9.1821
E3. Amalia Maria Aloysia *8.1.1826 (Zwilling)
E4. Adelaid Maria Anna *8.1.1826 (Zwilling)
E5. Adolphus *2.6.1827
E6. Antonia Josepha *10.4.1830
D6. Joseph *8.12.1795
D7. Franz Xaver 26.3.1797 - +6.6.1797
D8. **Ignatius** *27.7.1798 - +7.6.1865, Glasermeister
Bürgerrecht am 4.5.1832
oo 19.9.1825 **Maria Lokheimer** *31.3.1806[18] - +13.4.1887
E1. Marie Henrika *7.6.1826
E2. **Henrik Ignatius** *9.7.1827 - +11.5.1871 Glaskünstler
oo 3.7.1854 Helena Dück *1837 - +1918
E3. Hedvigis *7.10.11830
E4. Agnes *12.12.1831
E5. Emilia *29.11.1832
E6. Theodorich Lajos *31.5.1841
D9. Anna *14.1.1800 - +7.11.1800
D10. Joannes *19.6.1801
D11. **Carolus** *ca. 1802 (1806?) - +nach 1868
Spielkartenmaler, 4.12.1830 Bürgerrecht
1. oo 4.6.1827 **Maria Bellitzay** *23.6.1795 Taban - +4.2.1852
E1. **Joannes Nepomuk** *29.4.1828 – +nach 1875; Spielkartenmaler
E2. Maria Ludmilla *23.4.1830
E3. **Stephan Ignatius** *1.8.1831- +nach 1892; Spielkartenmaler
oo 21.4.1863: Leopoldina Waczlavek
2.oo 17.5.1852 **Rosina Pagyi** *6.8.1827 Tata - +?
E4.Theresia *2.5.1854
E5. Ferdinand Adalbert *25.1.1856
E6. Jakobus Carolus *25.3.1859
E7. Ludovica *17.4.1860
E8. **Carolus Ignatius** *16.10.1862 - +26.3.1881, Spielkartenmaler
E9. Ignatius Leopold *25.4.1865 - +24.2.1867
E10. Ignatius Joannes *7.4.1868
D12. Joannes Evangelista *27.11.1803
C8. Adamus *+ 24.9.1769 (wurde nur eine halbe Stunde alt)
C9. Leopold *4.10.1772 (Zwilling) – +21.4.1846
8.7.1794 Schneidermeister; 30.4.1808 Bürgerrecht
oo 17.5.1795 Anna Barbara Pantoffel (Pantoffer) *27.1.1767 - +1.4.1822
D1. Anton *3.3.1796 – 6.5.1861
1.oo 4.4.1826 Anna Lentz *12.4.1808
E1. Julius *30.1.1827
E2. Emma *23.3.1828
2.oo 22.11.1829 Barbara Bodoben, vidua
3.oo Anna Hartmann
D2. Francisca Amalia *13.9.1797

18 Als ihre Eltern sind eingetragen Heinrich Lakaj (sic!), Schneider, und Ursula. Am 30.6.1803 wurde ihr Bruder Henricus getauft: seine Eltern sind Heinrich Lokhaimer, Schneider, und Ursula. Und am 3.1.1807 wird Georg getauft; seine Eltern sind Henric Lokheimer, Schneider, und Ursula.

D3. Rosalia *1.6.1799
D4. Barbara *1801 - +12.9.1802
D5. Barbara *1804 - +3.4.1805
D6. Alexander *22.2.1806 - +3.4.1806
D7. Amalia Theresia *15.9.1809
D8. Elisabetha *13.11.1812
C10. Franciscus Seraphicus *4.10.1772 (Zwilling) - +7.2.1773
B7. Maria Anna *1.6.1732 -. +bis 1734
B8. Maria Anna *1.9.1734 - +vor 1752 (lt. Testament des Vaters!)
B9. Anna Helena Christina *13.8.1736 - +8.4.1837 (steht auf der Liste der Pest-Toten)
B10. **Franziskus Antonius** *7.4.1738 - +28.6.1776 Weyna (= Weyer?),
Schneidermeister und – später k.k. Cameral-Ingenieur
oo 23.7.1758 **Catharina Dominica Kun** 12.5.1733 - + 16.3.1825 (90)
p: Nicolaus Kun; m: Anna Catharina)
B11. Michael *28.9.1744 - +vor 1752 (lt. Testament des Vaters!)

1.4. Dokumente der Familie Giergl

7 Martin Görgl ein Schustermeister Burger 76 In pfarr

Bestattung von Martin Gorgl 7.6.1752 (76 Jahre alt = *1676); [falsche Angabe: Schustermeister!]

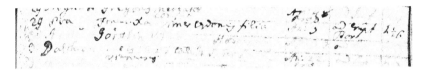

Bestattung von Anna Maria Görgl (Wallmannstorffer) 30.10.1783 (83 Jahre alt = *1700)

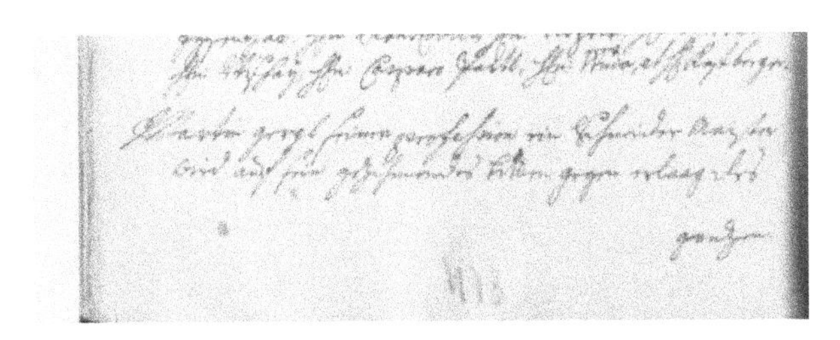

Bürgerrecht der Stadt Pest für Martin Gergl: Ratssitzung am 13.5.1729

Taufe von Thomas Girgle am 11.12.1729, Sohn von Johann Michael Girgle und Eva N. in Orszagút (Johann Michael Girgle **könnte** der Sohn aus 1. Ehe von Johann Martin Gergl sein.)

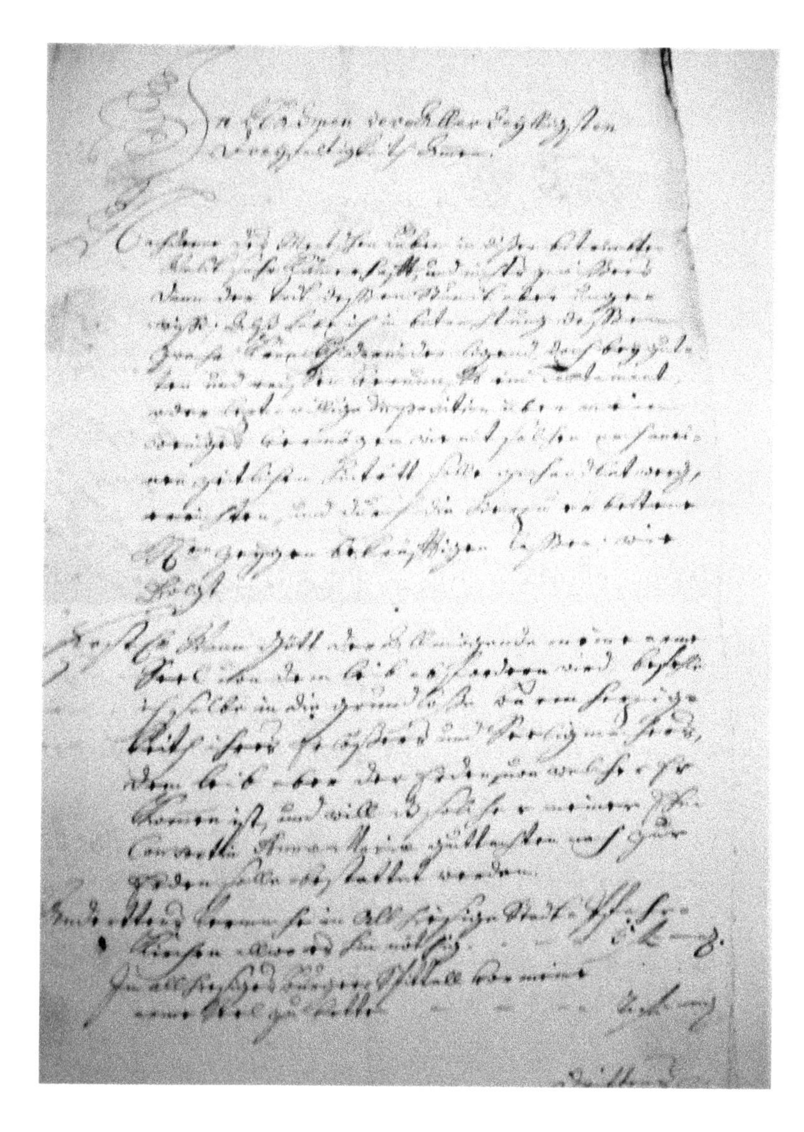

Testament von Martin Gergl 4.4.1752 (1)

Testament von Martin Gergl 4.4.1752 (2)

Testament von Martin Gergl 4.4.1752 (3)

2579	21.	Joannes.	Martin Gergel et Anna Maria Conjugl.	Joannes Stock, cum sua Consorte Maria Anna.	Idem.

Taufe von Joannes Gergel 21.21730

18	Josepha	Görglin Vidua sartorissa	A. 71	ad Sup. Hydrop.
21	Theres	Jos. Fux apothec. filius	A. 4	ad Inf. convuls.
	Joseph	Martin Scharnagl caupo. filia	4 1/2	ad Inf. Cangr.

Bestattung von Theres Görgl (Beyd) am 21.7.1800

	Sebastian: [illegible] Staller vidua	
31.	Joannes gergel Civis Görgl. Magistrator Cum Virg. Theresia beydin ex austria	D. Jerit Joseph [illegible] Mart. Dr. D. Tobias Herschamer et D. Georgius [illegible] Thal et Lambertus Strasenfels.

Trauung von Joannes gergel und Theresia beydin ex austria am 31.10.1751

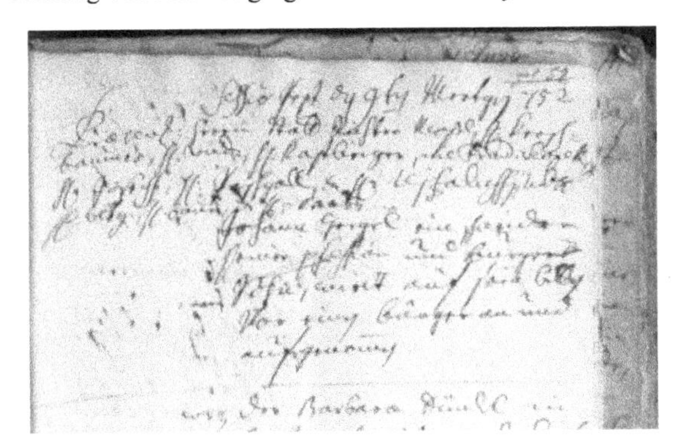

[illegible] 1752

[illegible]

Johann Gergl [illegible]

[illegible]

Bürgerrecht der Stadt Pest für Johann Gergel, Ratssitzung am 9.3.1752

150.	7.	Franciscus Antonius	Martin Gergl Cons: S. Maria Wallmanstorfferin	Joannes Starck Cons: S. Maria Anna	Adm. R. P. Chrysostomus Superior. Serv:

Taufe von Franciscus Antonius Gergl 7.4.1738

3422	12.	Cathorina Dominica	Nicolaus Kunn Cons: Cathorina	Michael Lorber Cons: Barbara	Idem

Taufe von Cathorina Dominica Kunn 12.5.1733

Taufe von Anna Catharina Kuhn 3.4.1736

Bestattung von Catharina Girgl (geb. Kun), 16.3.1825 (90 Jahre alt)

Trauung von Antonius Gergel und Catharina Kun(in) 23.7.1758

Inventarisierung der Hinterlassenschaft von Antonius Gergel (1)

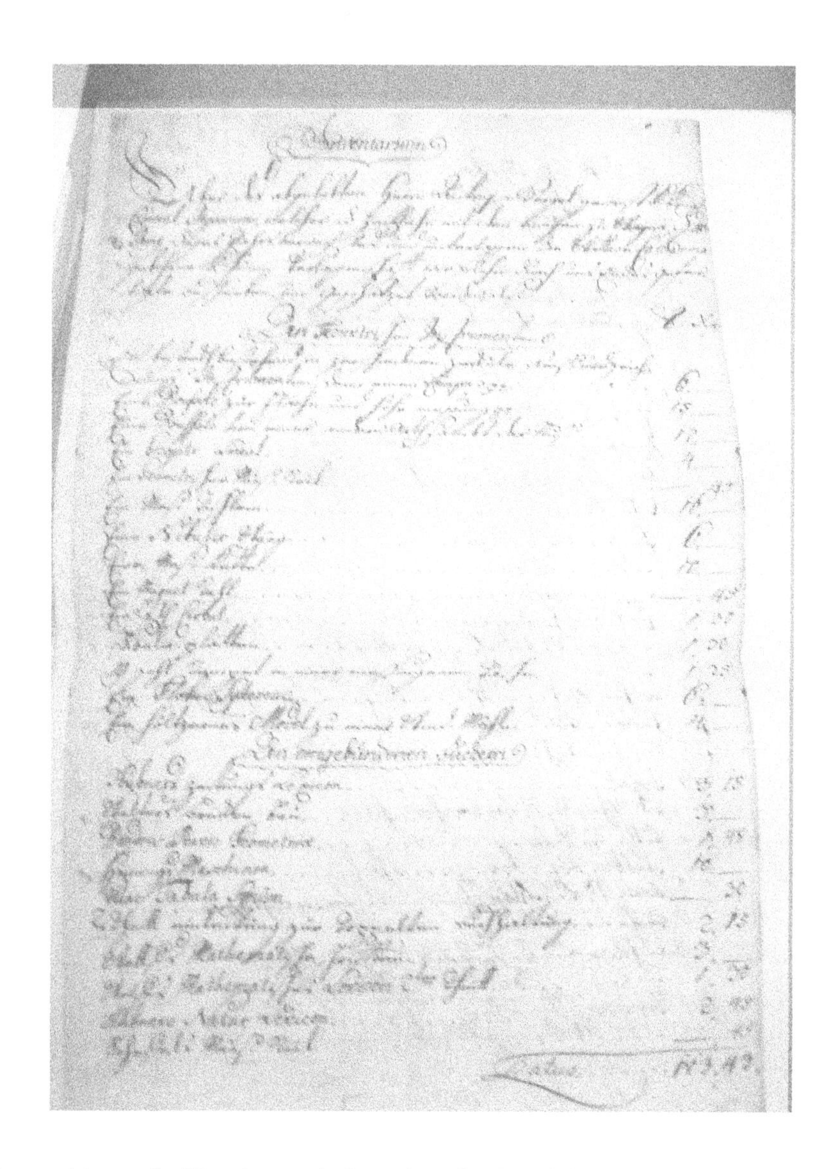

Inventarisierung der Hinterlassenschaft von Antonius Gergel (2)

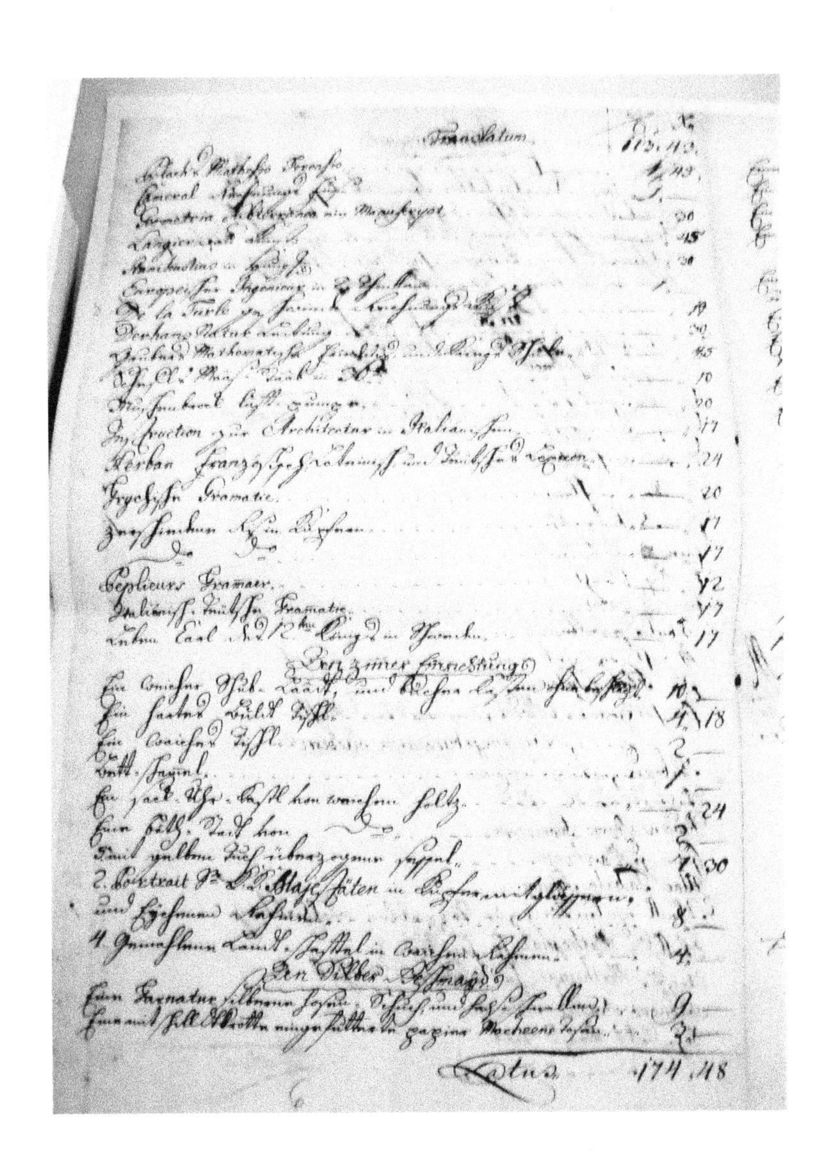

Inventarisierung der Hinterlassenschaft von Antonius Gergel (3)

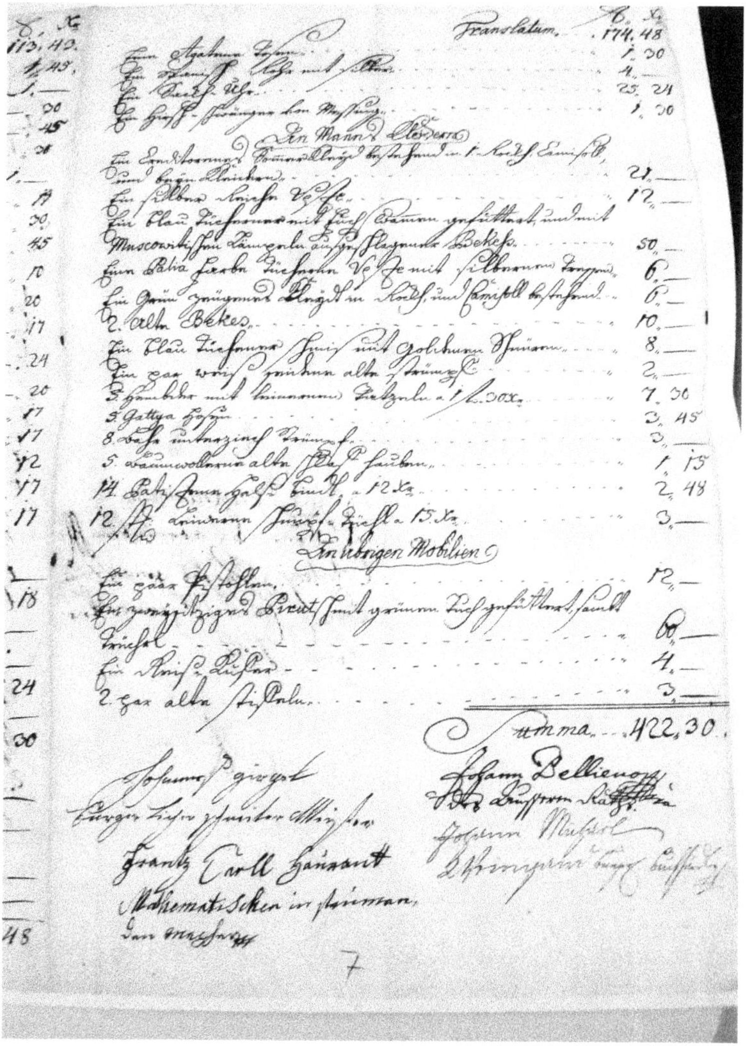

	fl.	xr.
Translatum	174	48
Ein Agatenen Dosen	1	30
Ein [illegible] Stock mit silber[?]	4	—
Ein Sack Uhr	25	24
Ein Hosen-Schnallen von Messing	1	30
An Manns Kleidern		
Ein [illegible] Mannskleid bestehend in 1. Rock, Camisol, und beyn Kleidern	21	—
Ein silberne[?] weiße Veste	12	—
Ein blau tuchener mit Fuchs Wammen gefüttert, und mit Muscowitischen Ränzeln ausgeschlagener Bekeß	50	—
Einen Cafe[?] farbe tuchene Veste mit silbernen Knöpfen	6	—
Ein grün zeugenes Kleid in Rock und Camisoll bestehend	6	—
2. alte Bekes	10	—
Ein blau tuchener Peltz mit goldenen Schnüren	8	—
Ein paar weiß seidene alte Strümpf	2	—
5. Hemder mit leinenen [illegible] a 1 fl. 30 xr.	7	30
3. Gattya Hosen	3	45
8. paar [illegible] Strümpf	3	—
5. baumwollene alte Schlaf hauben	1	15
14. Batistene Hals tücher a 12 xr.	2	48
12 St. Leinenen Schnupf tüchl a 15 xr.	3	—
An übrigen Mobilien		
Ein paar Pistollen	12	—
Ein zweysitzigen Schlitten[?] mit grünem Tuch gefüttert, sammt Truchel	60	—
Ein Reis Kufer	4	—
2. paar alte Pistolen	3	—
Summa	422	30

Johann [illegible] Gergel, burgerlicher Schneider Meister

Frantz Carll Hausant[?], Mathematischen [illegible]

Johann Bellienoz[?], des äussern Raths

Johann [illegible] [illegible]

Left margin: fl. xr. 113,40 · 1,45 · 1,— · 30 · 45 · 24 · 1,— · 17 · 30 · 45 · 10 · 20 · 17 · 24 · 20 · 17 · 17 · 12 · 17 · 17 · 18 · 24 · 30 · 48

7

Inventarisierung der Hinterlassenschaft von Antonius Gergel (4)

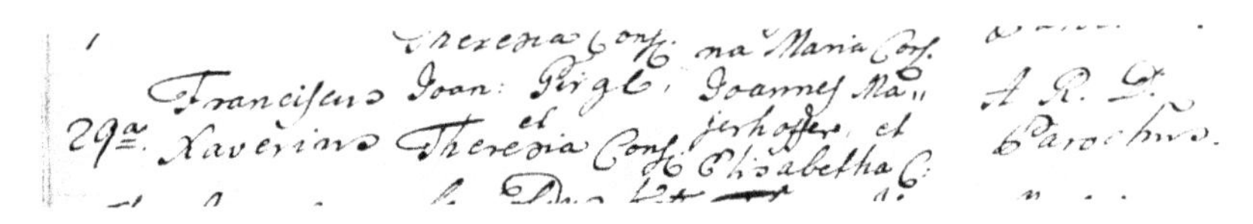

29a.	Franciscus Xaverius	Joan: Girgl. et Theresia Conj.	Joannes Majerhoffer, et Elisabetha Conj.	A R. D. Parochus.

Taufe von Franciscus Xaverius Girgl 29.8.1765

5a	Franciscus	Girgl. Sartor	maritus Rosalia Kurtz.	Sartor Magister & Centumvir	[illegible] 3a seq.

Bestattung von Franciscus Girgl 5.2.1825 (Schneidermeister und Mitglied der Hundert)

228 2. Aug. [illegible]

Bürgerrecht für Franz Gergel, Ratssitzung am 2.8.1788

	nes [illegible]	Maria Millerin.	Theresia.	Idem.
24a	Rosalia.	Simon Chultz Marianna.	Carolus Itner Anna.	Idem.

Taufe von Rosalia Chulcz (= Kurz!) 24.8.1769

16.	Girgl Rosal.	[illegible]	77 év.	[illegible]	[illegible]	nem.	plebanus

Bestattung von Rosalia Girgl (Kurz) 16.2.1846

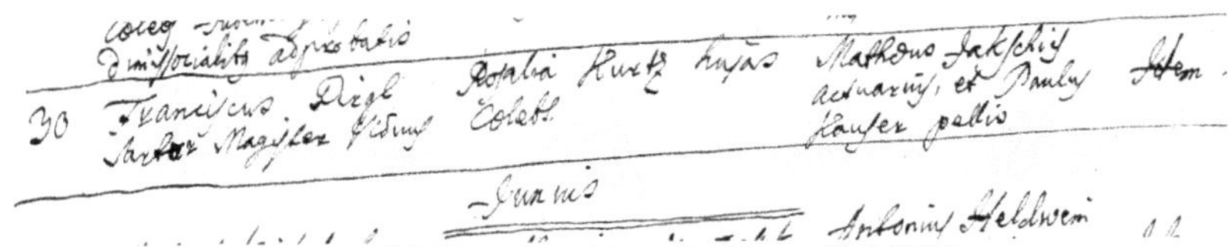

30	Franciscus Girgl Sartor Magister Viduus	Rosalia Kurtz Coeleb.	[illegible]	Mathaeus Jakschiz actuarius, et Paulus Hauser pellio	Idem.

Trauung von Franciscus Girgl (Witwer) und Rosalia Kurtz 30.5.1790

Taufe von Aloysius Girgl 22.2.1793

Bürgerrecht für Aloysius Giergl und Antonius Giergl, Ratssitzung am 8.2.1817

Bestattung von Aloysius Girgl, Silberschmied, am 17.8.1868

Hava Nap	A' meghalt, és eltemettetett vezeték 's kereszneve	Életneme, származása és lakhelye	Élet' kora	Betegség' neme, mellyben meghalt	A' betegek Szentsége felvétele	Temetőhely	A' temetésnél Tisztelkedő	Észrevételek
29.	Giergl Anna.	Alajoshelyből ezüstműves neje rkat.	45 év	sorvadt	[illegible]	váci ú.	Ungváry	*

Bestattung von Anna Giergl (Bayer) 29.11.1846, 45 Jahre alt (= *1801)

Cum Dispensatione
50 Aloysius Giergell Anna Bajer, ex Jacobus Schletta
19a Aurifaber, coelebs, Coel. Pragensis, Civis
28. annorum, [illegible] annorum 18. Franciscus Xav. Schletter Civis [illegible]

Trauung von Aloysius Giergell und Anna Bayer aus Prag am 19.7.1818

13. Aloysius Antonius. Aloysius Giergl Argentifaber. Anna Bajer. Antonius Giergl Sartor. & Anna Stütz

Taufe von Aloysius Antonius Giergl 13.12.1821

248 | 1863 October 13 | Györgyi Aloysius pictor academicus, maritus Amaliae Maliáky | [illegible] | [illegible] | — | 11 | [illegible] | — | 25 | [illegible]

Bestattung von Aloys Görgyi, akademischer Maler, am 23. Oktober 1863

Taufe von Ludovicus (= Lajos) Giergl 25.9.1834

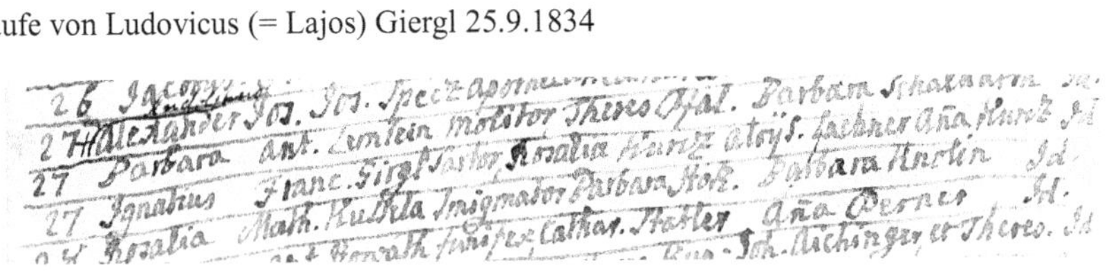

26 Jacobus [illegible] Jos. Specz apothecarius [illegible]
27 Alexander Jos. Jos. Specz [illegible] Theres Ofal. Barbara Schaaarin
27 Barbara Ant. Lemtein molitor Theres Ofal. Barbara Schaaarin [illegible]
27 Ignatius Franc. Girgl Sartor Rosalia Hunzz Aloys. Lachner Anna Hunzz [illegible]
27 Rosalia Math. Kulkla Imaginator Barbara Hok. Barbara Anclin [illegible]
[illegible] Horvath funifex Cathar. Stattler Anna Berner [illegible] Joh. Aichinger et Theres. [illegible]

Taufe von Ignatius Girgl 27.7.1798

Bestattung von Ignatius Giergl (Ehemann von Maria Lockeimer) am 7.6.1865

Bürgerrecht für Ignatius Giergl, Ratssitzung am 4.5.1832

Taufe von Maria Johanna Lakaj (= Lockheimer!) am 31.3.1806

Bestattung von Maria Girgl (Lokheimer) am 13.4.1887

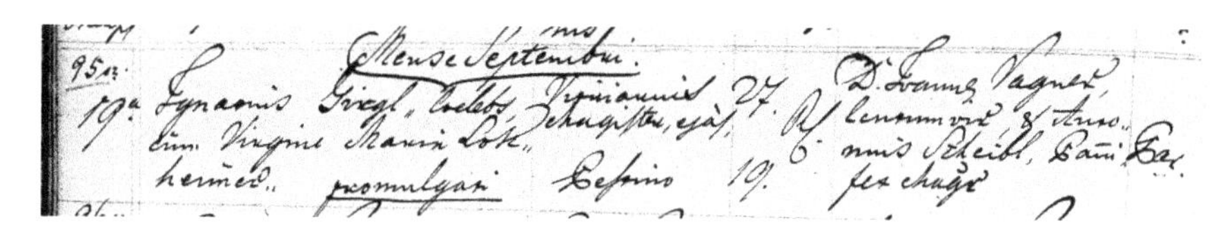

Trauung von Ignatius Girgl mit Maria Lokheimer 19.9.1825

9a Henricus Ignatius Girgl Ignatius [illegible] Girgl Maria Lothhaimer | Henricus Loth-haimer | [illegible]

Taufe von Henricus Ignatius Girgl 9.7.1827

[illegible]

Bürgerrecht der Stadt Pest für Carolus Girgl, Ratssitzung am 4.12.1830

23. R. Leonard. Maria. Josephus Belitkay. Maria Brinsa. Antonia [illegible]

Taufe von Maria Belitzay am 23.6.1795 in Taban

Numerus Currens	Annus et dies Obitus	DEFUNCTI: Nomen et Conditio defuncti item eius coniugis vel parentis	Locus originis et habitationis, numerus domus	Sexus: masculinus	Sexus: foemininus	Aetas	Morbus sive aliud genus mortis	Fuitne provisus Sacramentis Moribundorum?	Locus et dies Sepulturae	Nomen Sepelientis
65.	Febr. 4.	Görgl Maria nata Belitza, [illegible]	[illegible] Nro 24.	"	[illegible]	[illegible]	[illegible]	[illegible]	6. Februarii [illegible]	Joannes [illegible]

Bestattung von Maria Görgl (geb. Belitzaj) am 4.2.1852

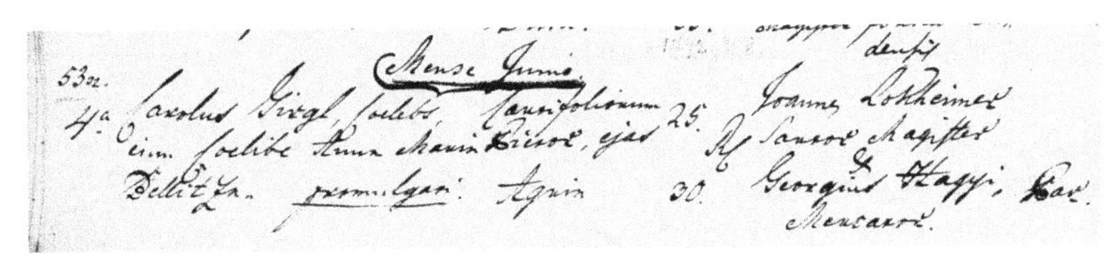

53a. Mense Junio.
4a Carolus Girgl, coelebs, [illegible] cum coelibe Anna Maria [illegible], ejus Bellitza. [illegible] Agria
25. Joannes Lothheimer [illegible] & 30. Georgius [illegible]

Trauung (1. Ehe) von Carolus Girgl und Maria Bellitza am 4.6.1827

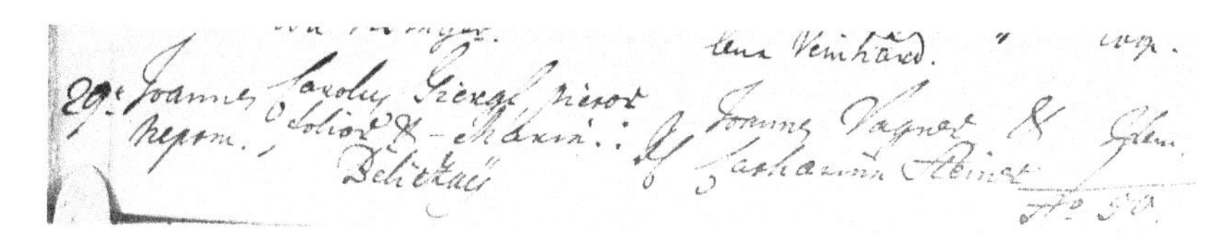

... una Venhard. ... coop.

29. Joannes Nepom. | Carolus Giergl pictor solior & Maria Beliczai | Joannes Vagner & Catharina Kleiner | Glem. | No. 53.

Taufe von Joannes Nepom. Giergl 29.4.1828

Theresa Kner.

1. Stephanus Ignatius. | Carolus Girgl pictor solior. Maria Beliczai. | Ignatius Girgl vitrarius Maria Lockhaimer. | Do.

Taufe von Stephan Ignatius Girgl am 1.8.1831

2. 6ta Augusti. | Rosalia. | Pagyi Andreas Molitor Mgr et Theresia Landtler | Joó Vásos. | Anghoffer Joannes Imbricarius Mgr et Rosalia Schreander ejus consors | Palatics Anna Coop.

Taufe von Rosalia Pagyi am 6.8.1827 in Tata

17. | Girgl Carolus, et Rosina Pagyi R.C. | viduus [illegible] consortis [illegible] 46 an. ... Tata [illegible] 24 an. | Ferdinandus Holzinger civis & Josephus Schneider civis | Joannes Wohl: ... Parochus

Trauung (2. Ehe) von Carolus Girgl (Witwer) mit Rosina (Rosalia) Pagyi am 17.5.1852

1345 | 9. | 16. | Carolus Ignatius | m. | " | leg. | Girgl Carolus pictor R.C. + Pagyi Rosalia R.C. | pl. nova 40. | General Carolus [illegible] & Gál Magdalena R.C. | Joannes Baleic Coop. [illegible]

Taufe von Carolus Ignatius Girgl am 16.10.1862

448 | 26. | Giergl Károly [illegible] | Budapest [illegible] utca 6 | 1 | – | 19 éves | önakasztás | – | [illegible] Március hó 28.

Bestattung von Karoly Giergl am 26.3.1881 (19 Jahre alt)

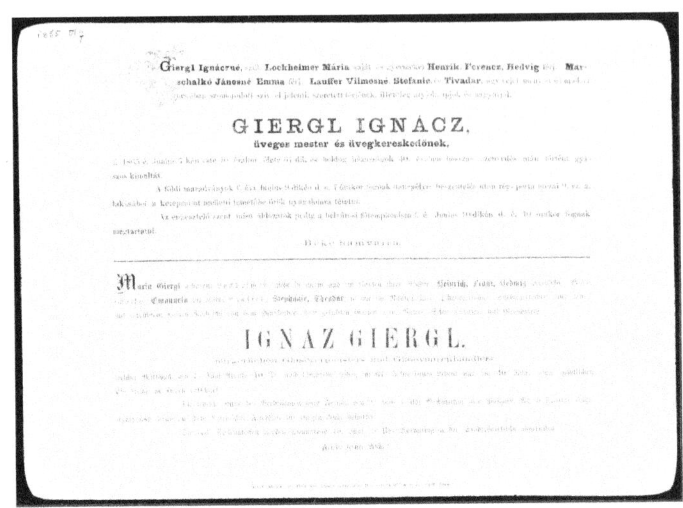

Giergl Ignácné, [illegible] **Lockheimer Mária** [illegible] **Henrik**, **Ferencz**, **Hedvig** [illegible] **Marschalkó Jánosné Emma** [illegible] **Lauffer Vilmosné Stefanie** [illegible] **Tivadar**, [illegible]

GIERGL IGNÁCZ,

üveges mester és üvegkereskedőnek,

[illegible] szos kimultát.

A földi maradványok [illegible] tetetni.

Az engesztelő szent mise áldozatok [illegible] megtartatni.

[illegible]

Maria Giergl [illegible] **Heinrich**, **Franz**, **Hedwig** [illegible] **Emanuela** [illegible] **Stephanie**, **Theodor** [illegible]

IGNAZ GIERGL,

[illegible]

Totenzettel von Ignaz Giergel 7.6.1865

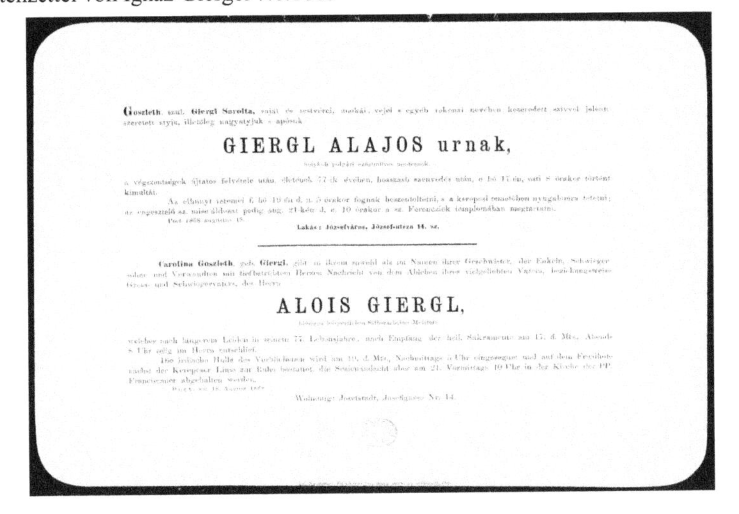

Goszleth, szül. **Giergl Sarolta**, saját és testvérei, unokái, vejei s egyéb rokonai nevében keseredett szivvel jelenti szeretett atyja, illetőleg nagyatyjuk s apósuk

GIERGL ALAJOS urnak,

[illegible]

a végszentségek ájtatos felvétele után, életének 77-ik évében, hosszabb szenvedés után, e hó 17-én, esti 8 órakor történt kimultát.

Az elhunyt tetemei f. hó 19-én d. u. 5 órakor fognak beszenteltetni, s a kerepesi temetőben nyugalomra tétetni; az engesztelő sz. mise áldozat pedig aug. 21-kén d. e. 10 órakor a sz. Ferenczések templomában megtartatni.

Pest, 1868 augusztus 18.

Lakás: Józsefváros, József-utcza 14. sz.

Carolina Goszleth, geb. **Giergl**, gibt in ihrem sowohl als im Namen ihrer Geschwister, der Enkeln, Schwiegersöhne und Verwandten mit tiefbetrübtem Herzen Nachricht von dem Ableben ihres vielgeliebten Vaters, beziehungsweise Gross- und Schwiegervaters, des Herrn

ALOIS GIERGL,

[illegible]

welcher nach längerem Leiden in seinem 77. Lebensjahre, nach Empfang der heil. Sakramente am 17. d. Mts. Abends 8 Uhr selig im Herrn entschlief.

Die irdische Hülle des Verblichenen wird am 19. d. Mts., Nachmittags 5 Uhr eingesegnet und auf dem Friedhofe nächst der Kerepeser Linie zur Ruhe bestattet, die Seelenandacht aber am 21. Vormittags 10 Uhr in der Kirche der PP. Franciscaner abgehalten werden.

Pest, am 18. August 1868.

Wohnung: Josefstadt, Josefsgasse Nr. 14.

Totenzettel von Alois Giergl 17.8.1868

†

Alulírottak a maguk, valamint az összes rokonok nevében, mélyen elszomorodott szívvel jelentik a felejthetlen legjobb anyjuk, illetve anyós, nagyanya és dédanya

özv. GIERGL szül. LOCKHEIMER MÁRIA

ASSZONYNAK,

f. évi ápril hó 13-án élete 81. évében, hosszú szenvedés után történt gyászos elhunytát.

A boldogultnak hűlt tetemei f. évi ápril hó 14-én délután 3 órakor fognak a róm. kath. egyház szertartása szerint, a [illegible] temetőben örök nyugalomra tétetni.

Az engesztelő szentmise áldozat f. évi ápril 16-án d. e. 9 órakor, a t. p. p. szervita rend templomában fog az Urnak bemutattatni.

Budapest, 1887. évi ápril 13-án.

ÁLDAS ES BÉKE HAMVAIRA !

Lakás: IV., Szervitatér 8. sz.

Die Unterzeichneten geben in ihrem, sowie auch im Namen der zahlreichen Verwandten mit tiefbetrübtem Herzen Nachricht von dem Ableben ihrer innigstgeliebten Mutter, beziehungsweise Schwiegermutter, Großmutter und Urgroßmutter der Frau

Marie Giergl geb. Lockheimer,

welche am 13. April l. J. im 81. Lebensjahre, nach langem Leiden selig im Herrn entschlafen ist.

Die irdische Hülle der theueren Verblichenen wird Donnerstag am 14. April l. J. Nachmittags 3 Uhr, nach röm. kath. Ritus auf dem [illegible] Friedhofe zur ewigen Ruhe bestattet.

Die heilige Seelenmesse wird Samstag am 16. April l. J. um 9 Uhr Vormittags, in der Serviten-Kirche gelesen.

Budapest, am 13. April 1887.

Friede ihrer Asche!

Özv. Marschalkó Jánosné szül. **Giergl Hedvig**	**Lauffer Vilmos** veje – Schwiegersohn
Lauffer Vilmosné szül. **Giergl Emilia**	**Özv. Giergl Henrikné** szül. **Dück Ilon**
Giergl Stefánia	**Özv. Giergl Ferenczné** szül. **Prybila Fáni**
Giergl Tivadar gyermekei – Kinder	menyei – Schwiegertöchter

számos unoka és dédunoka.

Entreprise des pompes funèbres [illegible] Concordia [illegible] — Bartan M., Budapest

Bestattung von Maria Giergl (Lokheimer) am 13.4.1887

2. Die Familie Kölber

Die Wiener Gesellschaft *bekam sie hin und wieder zu sehen: Helena von Bayern, die Schwester von Sisi und Gemahlin des Fürsten von Thurn und Taxis. Ihre Mutter wie auch die Mutter von Franz Joseph I. hatten sich sie als Braut des Kaisers gewünscht, der sich aber bekanntlich für Sisi entschied. - Bei gutem Wetter lenkte die junge Fürstin auch eigenhändig eine kleine, höchst auffällige offene Kutsche mit einem länglichen Sonnenschirm aus weißer Seide: ein Cabriolet à la Daumont. Die Kutsche war in Budapest hergestellt worden, in der Fabrik des k.k. Hoflieferanten Philipp Kölber.*

Viele Adlige und wohlhabende Bürger in Ungarn, aber auch in anderen europäischen Ländern besaßen zu jener Zeit eine Kutsche der Firma Kölber-Testverek. Es war sowohl die ausgezeichnete technische Qualität als auch das stilvolle Design, die für die Kölberkutschen das Markenzeichen waren.

Die große Zeit der Kutschen ist leider vorbei. Heute kann man Kölberkutschen u.a. in Budapest (Közlekedési Múzeum), in Kezsthely (Festetics Kastely), in Parád (Ciffra Istálló) und in Kiskörös (Leitner andrás tulajdoná) bewundern. Die elegante Sommerkutsche, mit der einst die Fürstin von Thurn und Taxis ihre Freude hatte und vermutlich zahlreiche Neider und Bewunderer fand, kann im Kunsthistorischen Museum Wien inspziert werden.

2.1. Die Herkunft der Familie

Die Familie Kölber bzw. ursprünglich Kälber oder Kelber stammt aus dem pfälzischen Neckarburken und Duttenberg (in Württemberg, Jagstkreis). Auch hier wieder zeigt sich die irreführende Ungenauigkeit der im Budapester Stadtarchiv ausliegenden Abschrift des Pester Bürgerbuchs. Dort heißt es nämlich, daß Casimir Kölber, der nach Ungarn kam, aus Turnberg (Dornberg) stamme. Es gibt mehrere Orte, die Dornberg heissen. Einer davon liegt unweit von Würzburg. Die Angabe Dornberg als Herkunftsort ist aber leider völlig falsch, wie die Durchsicht der Pester Ratsprotokolle beweist. Wer in Dornberg sucht, wird nie Kölber finden.

Neckarburken entstand als römisches Kastell. Auf die Römer folgten um 260 n. Chr. zunächst die Alemannen, ab 497 n. Chr. schließlich die Franken, im Zuge deren Landnahme die Orte Auerbach, Dallau, Neckarburken und Rittersbach entstanden sind. Anlässlich von Stiftungen begüterter fränkischer Adliger an das Kloster Lorsch erfolgte die erste urkundliche Erwähnung von Neckarburken 774 als Borocheim (Burgheim) im Lorscher Kodex. Im 15.

Jahrhundert erwarben insbesondere der Deutsche Orden und die Pfalzgrafen von Pfalz-Mosbach Anteile an den Dörfern des Elztals [zu denen Neckarburken gehört]. Im Dreissigjährigen Krieg hatten die Elztal-Orte schwer zu leiden. Im Jahr 1668 tauschte der Deutsche Orden seine Besitztümer in den Elztal-Orten mit der Kurpfalz gegen Besitz bei Bad Mergentheim und Burg Duttenberg ein. Die Elztal-Orte und ihre Einwohner wurden dadurch vollends kurpfälzisch. In den Jahren ab 1793 wurden die Gemeinden im Elztal durch Kontributionen und Einquartierungen in Folge der Franzosenkriege schwer belastet. Der linksrheinische Gebietsverlust der dort begüterten Adligen führte zu einer politischen Neuordnung in Südwestdeutschland. Auerbach, Dallau, Neckarburken und Rittersbach kamen dadurch 1803 an das Fürstentum Leiningen und 1806 an das Land Baden.

Die evangelischen Kirchenbücher von Neckarburken beginnen 1662. Die katholischen Kirchenbücher von Neckarburken beginnen erst 1810.

„Duttenberg wurde im Zuge der fränkischen Landnahme um das Jahr 600 gegründet. Die ursprüngliche Siedlung befand sich wohl im Jagsttal an der Stelle eines einstigen römischen Kastells. Erstmals erwähnt wurde die Gemarkung Duttenberg als *tutumer marca* im Lorscher Codex in einer auf das Jahr 778 datierten Schenkung eines Renolf an das Kloster Lorsch. Zwischen 780 und 800 scheint der Ort nach Norden auf einen Hügelkamm verlegt worden zu sein, da in einer Schenkung des Bern von 798/799 erstmals von *Dudunburc* die Rede ist. Im Mittelalter bestand die Burg Duttenberg, die im 14. Jahrhundert von den Herren von Weinsberg bewohnt wurde. Anschliessend kam die Burg an die Herren von Wittstatt aus Hagenbach. 1460 wurde durch Hans von Sickingen eine Stadtmauer errichtet. Die Befestigungsanlagen der Burg wurden später abgetragen und anstelle der Burg ein schlossartiges Herrenhaus mit Nebengebäuden errichtet. Zu dieser Anlage gehört auch die örtliche Kelter, die 1599 vom Deutschen Orden gekauft wurde. 1688 erwarb der Orden auch das Herrenhaus, seit 1769 sind die Gebäude in Privatbesitz. Die Duttenberger Kirche muss sehr früh errichtet worden sein, denn sie war Mutterkirche für die Gemeinden Offenau, Bachenau, Hagenbach und Heuchlingen. Die 1302 erstmals erwähnte Kirche soll auf einen vorromanischen Bau zurückgehen. 1730 brannte die vermutlich mittelalterliche Kirche ab. An ihrer Stelle wurde die barocke Kirche St. Kilian errichtet. Im späten Mittelalter wurde außerhalb Duttenbergs auch noch die Kreuzkapelle erbaut, die sich an einer früheren römischen Kultstelle befindet. 1806 kam Duttenberg zum Königreich Württemberg.“ (Wikipedia)

Die Kirchenbücher für Duttenberg beginnen 1592.

2.2. Wichtige Personen der Familie Kölber

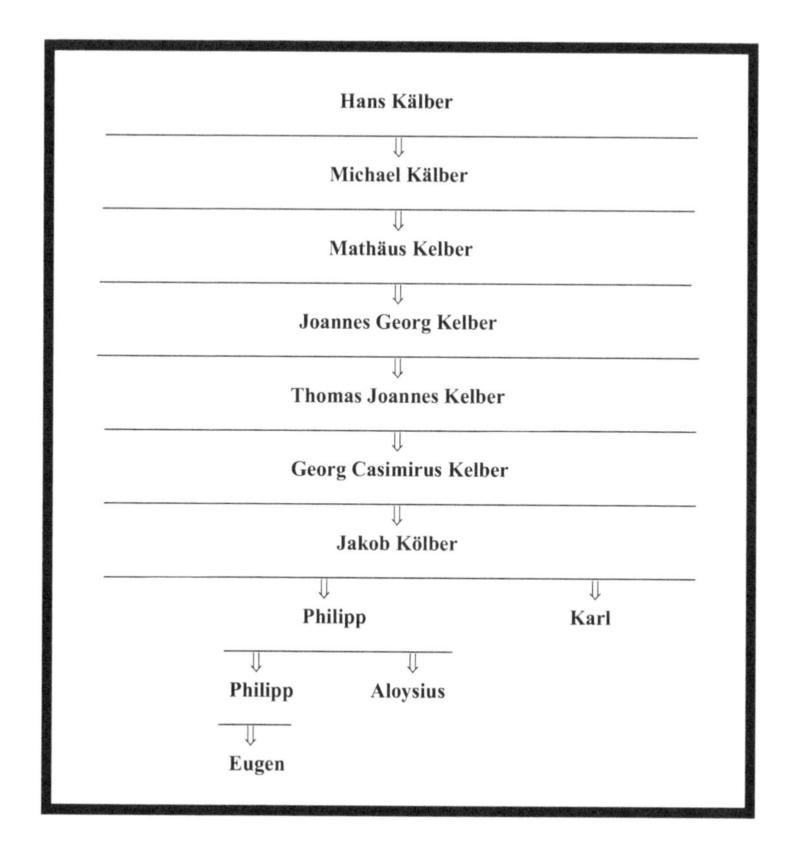

Die aus Neckarburken bzw. aus Duttenberg stammenden Kölber müssen angesehene Bürger gewesen sein. Die Heiraten belegen es: 1646 wird Michael Kölber mit einer Tochter des Lehrers in Offenau getraut; 1686 ehelicht Matthäus Kölber eine Tochtes des Präfekten des Deutschen Ordens in Weingarten und Kürnbach, 1722 wird Joannes Georg Kölber Schwiegersohn des Amtsmanns von Höchstberg und 1748 heiratet Thomas Joannes Kölber eine Enkelin des Judicarius von Duttenberg. Welchen Beruf diese Kölber ausübten, ist leider nicht bekannt.

Um 1780 verläßt Casimirus (im Taufbuch steht Casimursis!) Kölber, ein Sattlergeselle, das heimatliche Duttenberg und kommt nach Pest. Er wird Clara Felner, die Tochter eines in Pest ansässigen Wagenbauers, heriraten.

Hans Kelber (*ca.1590/1600 Neckarburken - +?)
und Margaretha N. (*? - +?)
Der erste bekannte Vorfahr ist Hans Kelber, Bürger im pfälzischen Neckarburken. Er muß zwischen 1590 und 1600 geboren sein, vielleicht sogar noch vor 1590; verheiratet war er mit Margaretha (s. Heiratseintrag seines Sohnes Michael).

Michael Kälber (*ca.1620/25 Neckarburken? - +?)
und Salome Müller (*12.9.1627 Gundelsheim - +?)
Michael Kälber, Sohn von Hans Kelber, heiratet am 6.2.1646 Maria Salome. (Ihr Vater heißt Hans und ist *rector ludi* in Offenau; ihre Mutter heißt Barbara Ritter: ihre Vorfahren lassen sich durch Dokumente des Deutschherren-Ordens in Hechingen und durch ein Zinsbuch der Stadt Gundelsheim zurückverfolgen bis ca 1530; die Trauung beider fand statt in Gundelsheim am 9.6.1625.). Drei Töchter und drei Söhne des Michael Kelber sind bekannt, darunter Mathäus.

Mathäus Kälber (*ca. 1655-1660 Duttenberg - +26.2.1730 Duttenberg)
und Eva Maria Elis. Erasmus (*? Weingarten - +31.3.1700 Duttenberg)
Mathäus Kälber (sein Taufdatum fehlt – das Kirchenbuch ist sehr lückenhaft geführt), Sohn von Michael Kälber, heiratet am 24.2.1686 Eva Maria Elisabeth Erasmus. Ihr Vater, Bartholomäus Erasmus, ist höchst angesehener (vielleicht sogar adliger) Präfekt des Deutschen Ordens in Weingarten und Kürnbach, verheiratet mit Anna; vielleicht stammt er aus Berlichingen, wo 1700 einer seiner Söhne heiratete.

Johann Georg Kälber (*21.3.1688 Duttenberg - +?)
und Barbara Hartmann (*6.3.1688 Untergriesbach - +?)
Johann Georg Kälber, Sohn von Mathäus Kälber, heiratet am 19.5.1722 Barbara Hartmann. Ihre Eltern sind Johann Hartmann, Amtsmann in Höchstberg und verehelicht am 10.2.1681 mit Anna Margaretha Götz.

Thomas Joannes Kälber (*19.12.1723 - +25.3.1773 Duttenberg)
und Benedicta Gress (*21.3.1724 Duttenberg - +?)
Thomas Johannes Kälber, Sohn von Johann Georg Kälber, heiratet am 26.2.1748 Benedicte Gress. Ihr Großvater war Iudicarius in Duttenberg, ihre Eltern sind Johann Michael Gress und Maria Catharina Streeb aus Binswangen. Thomas Johannes Kälber hatte mehrere Kinder, darunter zwei Söhne:

Casimir (Casimursis) und Thomas.

Georg Casimursis Kelber (*1.3.1751 Duttenberg – +3.4.1802 Pest) und Clara Felner (*26.6.1766 Pest – +21.5.1807 Pest)

Casimir Kälber wandert nach Ungarn aus. Er ist Sattler(meister). Am 1.5.1784 erhält er in Pest das Bürgerrecht. Am 7.8.1786 heiratet er Clara Felner, die Tochter eines aus Kobersdorf stammenden Wagenbauers. 1791 erhält er die Nachricht, daß sein in Duttenberg verbliebener Bruder Thomas gestorben sei und ihm etwas hinterlassen habe. 1794-1796 hat er deswegen einen Rechtsstreit mit der Witwe seines Bruders. (Die Akten hierüber liegen im Archiv Ludwigsburg.) In den Pester Ratsprotokollen finden sich Hinweise zu ihm:

Ratsprotokoll 1.5.1784

.... Casimirus Kölber ex Imperio Poss(ess)ione Tuttenberg Ephipiarus... (et alii) Romano Catholici deposito consueto concivilitatis iuramento in cives Lro, hujus ac Regiae cittis Penstiensis assumpti sunt.

Ratsprotokoll 3.10. 1791

Mit dem heutigen Datum wird das Löbliche Amt des Hohen Deutschen Ritterordens in Haichlingen ersucht, für den hiesigen Bürger und Sattlermeister Casimir Kölber den Erbteil und eine Abschrift des Inventurverzeichnisses zu überweisen, die ihm nach dem Tode seines Bruders Thomas Kölber zugefallen sind.

Ratsprotokoll 2.11.1791

Das Löbliche Hochfürstlich Hoch- und Deutschmeisterliche Oberamt zu Heichlingen erwidert am 21.10. des laufenden Jahres, daß es – sobald die noch ausstehende Geldsumme aus der von ihm durchgeführten Versteigerung der Hinterlassenschaft des Thomas Kölber aus Duttenberg hereingekommen ist – die ganze seinem Bruder Kasimir Kölber zukommende Erbschaft und deren Betrag hierher geschickt werden wird. Nur möge man bis dahin Nachricht geben, ob dieser Betrag in bar per Post oder per Wechsel überwiesen werden soll.

Casimir Kölber ist daher zu verständigen, und er muß seine Erklärung so schnell wie möglich abgeben.

Casimir hinterläßt ein am 29.3.1795 verfaßtes Testament, dessen Text – in heutiges Deutsch übertragen – folgendermaßen lautet:

Im Namen der Allerheiligsten Dreifaltigkeit Amen

Mein Testament ist folgendes.

Wenn es dem Schöpfer gefällig sein wird, meine Seele zu sich zu rufen, soll mein Leib nach christ-katholischem Gebrauch begraben werden.

Für heilige Messen zum Trost meiner sündigen Seele vermache (ich) 3 Gulden

Für das hiesige Spital (gebe ich) 20 Gulden.

Nach meinem Tod soll meine ganze Hinterlassenschaft obrigkeitlich inventarisiert werden. Die Hälfte des anfallenden Vermögens soll meinen Kindern, die andere Hälfte aber meiner lieben Ehegattin Clara, geborene Fellner, zufallen.

Weil es aber mein einziger Wunsch ist, dass mein Haus, das ich gekauft und erworben habe, meinen Kindern nun nicht entgehe, sondern ihnen das Recht erleichtert werde, es zu behaupten, soll meine Gattin – falls sie erneut heiratet - niemals befugt sein, dieses Haus oder einen Teil davon in die neue Ehe einzubringen oder zu verkaufen, ebenso sollen auch meine Kinder niemals befugt sein, von ihrer Mutter den väterlichen Erbanteil zum wirtschaftlichen Nachteil oder etwa gar mit Zwang den Verkauf meines Hauses zu erpressen; vielmehr möge es so sein, daß der eine oder der andere, vielleicht auch zwei zusammen das Haus behaupten. Das ist mein aufrichtiger Wille.
Pest den 29 März 1795 (unterzeichnet) Casimir Kölber
Daß dem Herrn Testator oben stehendes Testament Wort für Wort deutlich vorgelesen worden ist, und er alles so eingehalten haben will, bescheinigen hiemit
Pest sub dato wie oben
(Zeugen: Mathias Vittmesser, Johann Steinach, Franz Eiselle, Georg Spatz, Joseph Mayer)

Jakob Kölber (*15.6.1787 Pest - +6.9.1843 Pest) und Karolina Müller (*16.4.1795 Buda - +30.6.1883 Budapest)

Jakob Kölber, inzwischen hat sich der Name Kälber zu Kölber verändert, erlernt den Sattlerberuf. In den Pester Ratsprotokollen finden sich Hinweise:
7.8.1813:
Jacob Kölber Satttlergesell hiesigen Sattlermeister Sohn, bittet ihn zu einem Meister aufzunehmen – da die Zunft ihm blos deswegen weil er nicht im Ausland gewandert ist, das Meisterstück aufgeben will – und hierauf das Bürgerrecht zu ertheilen.
11.9.1813:
Jakob Kölber, Meistersohn, wird als Sattlermeister anerkannt, da er den Beruf gehörig gelernt und 6 Jahre (also die volle Wanderzeit) in Wien gearbeitet hat.
Am 1.11.1815 heiratet er Karolina Müller, Tochter Philipp Müllers, der um 1785 in Kristinavaros eine privilegierte Kutschenfabrik aufgebaut hatte. Am 3.10.1836 kam er als Wahlbürger in den erweiterten Stadtrat.

Philipp Kölber d.Ä. (*3.10.1816 – +24.5.1902) und Aloysia Maria Bauer (*23.6.1826 – +6.5.1889)

Unter Philipp Kölber, Sohn Jakob Kölbers, avanciert die Firma zur führenden Kutschenfabrik in Ungarn und zum habsburgischen Hoflieferanten. Sie lief unter dem Namen *Kölber testvérek*. Die Belegschaft wuchs im Lauf der Jahre beträchtlich an; sämtliche für die Kutschenherstellung erforderlichen Gewerke waren unter einem Dach vereint. Eine Entwicklung, die vielleicht schon Jakob Kölber bei seinem Schwiegervater Philipp Müller abgeschaut hatte. Philipp Kölber heiratet Aloysia Bauer, mit der er zwölf Kinder hat.

Hochgestellte Persönlichkeiten, darunter der Oberbürgermeister von Budapest und der Baron Bela Orczy, engagieren sich 1787, um ihn in den ungarischen Adel erheben zu lassen. Staaatssekretär György Lukacs entwirft eine Rede, die es verdient, *in extenso* wiedergegeben zu werden, da sie – gewissermaßen von einem Zeitzeugen – alles Wissenswerte über Philipp Kölber beinhaltet:

Vortrag
betreffend die Nobilitirung des Budapester Wagenfabrikanten Filipp Kölber senior.
Ang. Herr!
Der Oberbürgermeister der Hauptstadt Budapest hat mit der unter (in tiefster Ehrfurcht anermahnten Vortrags vom 30. Mai) Z. 402 die ag. Verleihung des ungarischen Adels mit dem Prädikate von „Paka" an den Wagenfabrikanten in Budapest Filipp Kölber sen. in Antrag gebracht. -
Filipp Kölber sen. ist im J. 1816 in Pest geboren worden. - Nach Beendigung des Gymnasiums mit gutem Erfolge, hat er sich der gewerblichen Laufbahn zugewendet und in dem Geschäfte seines Vaters die Wagenfabrikation gelernt. Um seine diesbezüglichen Kenntnisse zu bereichern, ist Kölber später nach Wien, dann nach Paris, England und Deutschland gereist. - Nach Hause zurückgekehrt, trat er im J. 1840 endgültig in das Geschäft seines Vaters ein, in welchem er die im Auslande gesammelten reichen Erfahrungen verwerthet hat. - Im J. 1844 hat Kölber die Aloysia Bauer geheiratet, aus welcher Ehe 10 Kinder, 5 Knaben und 5 Mädchen entsprossen sind. - Seinen Kindern hat Kölber die sorgfältigste Erziehung zutheil werden lassen, demzufolge dieselben sämtlich bereits angesehene gesellschaftliche Stellungen einnehmen. Nachdem im J. 1843 erfolgten Ableben seines Vaters übernahm Filipp Kölber sen. die Führung des Geschäftes; er hat dasselbe im Geiste der alten Firma geleitet und entwickelt und den bereits von seinem Vater begonnenen Bau eines großartigen, sämtliche zur Wagenfabrikation erforderlichen Industriezweige in sich schliessenden Fabrikations-Etablissements beendet.
Das ganze Streben und die volle Thätigkeit Kölbers, war der Wagenfabrikation zugewendet. Die ununterbrochene Arbeitsamkeit, dann das fleißige Studium der bereits in den 50ger Jahren begonnenen großen Weltausstellungen, nicht minder der aufmerksame Besuch der ausländischen großen Fabrik-Etablissements, haben zum Schlusse das Ergebnis gehabt, daß, als in den 60-ger Jahren mit dem Erwachen des nationalen Bewußtseins auch auf dem Gebiete derIndustrie sich eine lebhaftere Bewegung einstellte und die Bedürfnisse sich steigerten, Filipp Kölber von sich behaupten konnte, daß er das erreicht habe, was sein verstorbener Vater sich zum Ziele aussteckte, daß er es bewirkte, daß in Ungarn niemand, ja selbst die zu den größten Ansprüchen berechtigten Persönlichkeiten nicht mehr gezwungen sind, ihren Wagenbedarf sich im Auslande anzuschaffen.
Im J. 1869 hat Kölber seine beiden Söhne Filipp und Alois – die er für dieses Fach erzogen, und die im Auslande eine ausgezeichnete Fachkenntnis wie auch gesellschaftliche Bildung erworben – zu Geschäfts-Compagnions aufgenommen. -
Diese Zeit spielt eine wichtige Rolle in der Entwicklung der Fabrik. - In Ermangelung der erforderlichen Hilfskräfte nämlich war bis dahin die Hauptaufgabe des verdienstvollen Chefs der Firma die Fabrikation selbst, dann die Leitung und die Controle wie auch die Entwicklung der Werkstätte, was soviel Zeit in Anspruch nahm,

daß die übrigen Arbeiten in den Hintergrund treten mußten. - Nach dem Eintritte seiner Söhne in das Geschäft, ist aber Kölber in die Lage versetzt worden mit diesen und unter diesen die Arbeit zu theilen, beziehungsweise vertheilen zu können, was ihm ermöglichte, sich mit der technischen Einrichtung der Fabrik, dann mit den komerziellen Angelegenheiten des Geschäftes zu befassen. Die erste Sorge Kölbers war, der damaligen Strömung entsprechend statt der deutschen die ungarische Sprache in der Fabrik einzuführen, wodurch nicht allein der Geist der Fabrik – denn dieser war stets ungarisch – sondern auch die Sprache derselben ausschließlich die ungarische geworden und auch derzeit ist. -

An der Wiener Weltausstellung im J. 1873 hat sich die Firma Kölber betheiligt, und diese Ausstellung ist die erste gewesen, in welcher die ungarische Wagenfabriks-Industrie vertreten war. -

Außer der „Fortschritts-Medaillie" waren zahlreiche Bestellungen des Auslandes der Lohn , welchen die Fabrikate geerntet. - Zu dieser Zeit waren bereits die Wägen der Kölberschen Fabrik nicht allein in den östr. Provinzen, sondern auch im Auslande vortheilhaft bekannt. -

Filipp Kölber jun., welcher in der Ausstellung die Gruppe der ung. Wägen eingerichtet, wurde aus diesem Anlasse, mit dem goldenen Verdienstkreuze mit der Krone ausgezeichnet. -

Die Firma hat auch im J. 1876 an der Szegediner und im J. 1878 an der Pariser Ausstellung theilgenommen. - Bei der Pariser Weltausstellung hat ausschließlich diese Firma die ungarische Wagenfabriks-Industrie vertreten und zum Lohn die silberne Medailla erhalten. - Aus diesem Anlasse wurde dem Filipp Kölber auch von E. M. das Ritterkreus des Franz-Josef-Ordens verliehen.

Gelegenheitlich der in Triest im J. 1882 stattgehabten Ausstellung hat die Firma Kölber wieder allein die ung. Wagenfabriks-Industrie vertreten und die große goldene Medaille erhalten. -

Gegenwärtig ist die Fabrik mit Dampfmaschinen eingerichtet, wodurch sie auf das Niveau der ersten und entwickeltesten Fabriken des Auslandes gehoben wurde, und die Besitzer derselben können mit Stolz behaupten, daß sie auf diesem Gebiete dasjenige erreicht haben, was überhaupt zu erreichen war.

In Berücksichtigung der Ambition der Firmabesitzer wie auch im Hinblicke auf den traditionellen Brauch, wornach das Geschäft vom Vater auf den Sohn übergeht, ist eine begründete Hoffnung vorhanden, daß der erreichte Erfolg, beziehungsweise dieses 100jährige und heute bereits eines der hervorragendsten vaterländischen Industrie-Etablissements durch unermüdlichen Fleiß und unausgesetzte Arbeitsamkeit auch in der Zukunft erhalten bleiben und entwickelt werden wird. -

Es ist, im Geiste des Kölber seniors fortschreitend, gelungen die Wagenfabrikation aus den primitiven Sattlerwerkstätten heraus auf das europäische Niveau zu heben, und zu erreichen, daß unsere Fabrikate nicht allein die gleichen ausländischen Fabrikate aus Ungarn hinausdrängten, sondern auch daß dieselben in allen Theilen Europas bekannt und sehr renomiert sind. Diese schöne Entwicklung, deren sich die heimatliche Wagenfabriks-Industrie erfreut, ist hauptsächlich das Verdienst dieser Fabrik und ihrer Erzeugnisse, weil sie zur Schule und zum Muster der übrigen Industriellen dient. Der überwiegend größere Theil deer Industriellen in Ungarn, welche sich mit der Wagen-Industrie befassen, sind mittelbare oder unmittelbare Schüler

dieser Fabrik. Die Erzeugnise derselben dienen im ganzen Lande zum Muster, welche im Auslande gleichfalls nachgeahmt werden.
Einen glänzenden Beweis für die Leistungsfähigkeit der in Rede stehenden Fabrik liefert der Umstand, daß im J. 1882 für die ung. Gesellschaft vom Rothen Kreuze während einiger weniger Monate 115 vollkommen ausgerüstete Wägen geliefert wurden, und zwar derartige Wägen, wie sie früher in Ungarn nie hergestellt wurden, und trotz dieser großen Arbeit hat die Fabrik keinen Augenblick in ihrer regelmäßigen Arbeit gestockt.
Bei dem Umstande, als auch der Enkel des derzeitigen Firma-Chefs, nämlich Eugen Kölber sich gleichfalls für die Laufbahn seiner Vorfahren vorbereitet, ist die Familie Kölber schon in der fünften Generation ihrem Fache treu geblieben, sie dient unermüdlich seit mehr als einem Jahrhunderte der ungarischen Industrie und zwar auf einem Gebiete, auf welchem bei entssprechender Arbeitsamkeit und Ausdauer eine honette Existenz gesichert erscheint, ohne jedoch den Reiz der Bequemlichkeit oder der raschen Bereicherung in Aussicht zu stellen. Obwoh die Leitung der Fabrik den Chef derselben sehr in Anspruch nahm, hat er sich dennoch bestrebt, auch den öffentlichen Angelegenheiten zu dienen, - er war in den 40-ger Jahren Mitglied des ung. Industriellen-Vereins, in den 50-ger Jahren aber hat er als Rath der Handels- und Gewerbekammer seine Thätigkeit entfaltet. - In unserer Zeit hat sich Kölber sen. wegen seines hohen Alters von den öffentlichen Angelegenheiten zurückgezogen, seine braven Söhne aber vertreten ihn würdig auch auf diesem Gebiete.
Kölber sen. übt auch Wohltätigkeit, unter Anderem hat er zu Unterstützung der Szegediner Überschwemmung 100 ft. und einen gleichen Betrag dem siebenbürgischen Cultur-Verein, dann der ung. Gesellschaft vom Rothen Kreuze zwei große Wägen im Werthe von 4000 Ft gespendet; er ist weiters Mitglied zahlreicher Wohltätigkeits-Vereine, welche an seiner bekannten edlen Opferwilligkeit partizipieren. - Überhaupt haben sich die früheren wie auch die jetzigen Mitglieder der Kölber-Firma einer alten Tradition gemäß, in erster Reihe auf dem Gebiete der Entwicklung ihres Industriezweiges hervorgethan, in zweiter Reihe aber auf dem Gebiete des öffentlichen Lebens eine derart eifrige und nachahmenswerthe Wirksamkeit entfaltet, daß ihr Name in der Geschichte der ung. Industrie unter den besten genannt werden wird, - sie werden den jüngeren aufstrebenden Industriellen zum Vorbilde dienen.
Filipp Kölber sen. nimmt auch zufolge seiner günstigen materiellen Verhältnisse eine sehr angesehene gesellschaftliche Stellung unter den Bürgern der Hauptstadt ein – seine in der Saliter-Gasse befindliche Wagen-Fabrik samt Instruktionen presentiert einen Werth von 3-400 hundert tausend Gulden, - überdies besitzt er in der Ecke der Kerepeser- und der Kazimiczi-Strasse ein auf 200 hundert tausend Gulden bewerthetes dreistockfaches Haus; ferner am Josefs-Ring drei werthvolle Bauplätze, auf deren einem jetzt ein größeres Haus gebaut wird und endlich in der Saliter- und Josefs-Gasse je ein Haus.
Sowohl der Mehrerwähnte als auch die ganze Familie Kölber erfreut sich des besten Rufes, zufolge ihres Verhaltens genießt sie die allgemeine Hochachtung, - das politische Verhalten derselben ist ein tadelloses.
Auf Grund des Vorangeführten erlaube ich mir dannach in Übereinstimmung mit dem Ministerrathe die an. Bitte zu stellen:
Geruhen E. M. dem Budapester Wagenfabrikanten Filipp Kölber sen. und dessen le-

gitimen Nachkommen, in Anerkennung der um die Förderung der heimatlichen Industrie und des Handels insbesondere aber um die Entwicklung der heimatlichen Wagenfabrikation erworbenen Verdienste, den ung. Adel mit dem Prädikate „von Paka“ zu verleihen.
Der in diesem Sinne abgefaßte Ref.- Entwurf wird ehrerbietigst angeschlossen.
Wien 1887

Am 8.7.1887 erhielt Philipp Kölber den Adelsbrief: seitdem nannte sich dieser Zweig der Familie *pakai Kölber.*

Karoly Kölber (*19.1.1819 – +19.4.1882) und
Borbala Feszl (*8.1.1829 – +31.3.1895)

Karoly Kölber, ein jüngerer Bruder von Philipp Kölber d.Ä., leitete zunächst mit diesem zusammen die vom Vater übernommene Fabrik, versuchte dann aber eine eigene Firma aufzubauen, die allerdings nicht den ersehnten Erfolg hatte.

Philipp Kölber d.J. (*28.8.1845 – +15.12.1906) und
Antonia Szepessy (*26.4.1850 – +5.3.1920)
sowie sein Bruder
Alajos Kölber (*11.11.1846 – +12.12.1928) und
Augusta Kauser (*8.8.1858 – +12.1.1938)

Die Glanzzeit der Kölberschen Kutschenfabrik war mit den Söhnen Philipp Kölbers d.Ä. vorüber. Zu spät nahmen seine zwei Söhne wahr, daß nicht die Kutsche, sondern das Automobil das Fortbewegungsmittel der Zukunft werden sollte. Auch mit **Jenö (Eugen) Kölber (*12.7.1870)**, einem Sohn Philipp Kölbers d.J., änderte sich das nicht. Die Kutschenfabrikation wurde schließlich gänzlich eingestellt. Das Werk stellte um auf die Produktion von Auto-Karosserien. Ein letzter Versuch, mit der Herstellung von Flugzeugen noch die Kehrtwende zu schaffen, scheiterte. 1928 kam das endgültige Aus.

2.3. Der Stammbaum der Familie Kölber

A1. Hans *ca. 1590-1600, Neckarburken - +?
oo **Margaretha N.**
B1. **Michael** *ca 1620 (Neckarburken?) - +?
oo 6.2.1646 Gundelsheim: **Salome Müller** *12.9.1627 Offenau
p: Hans Müller Schulmeinster in Offenau; m: Barbara Ritter
C1. Salome *3.1.1649 Duttenberg
oo Joannes Layser
D1. Maria Barbara *16.9.1672
C2. Anna Maria *24.4.1650 Duttenberg
C3. Anna Catharina *26.9.1651 Duttenberg
C4. Joannes Martinus *11.11.1653 Duttenberg
C5. Georg *1655-1660 Duttenberg
1. oo Maria Elisabeth N.
D1. Maria Agnes *29.11.1686 Duttenberg
D2. Maria Magdalena *3.3.1690 Duttenberg
2.oo Eva N. (?)
D3. Michael 8.1.1697 Duttenberg
D4. Joannes Georg *20.5.1698 Duttenberg
D5. Joannes Georg *18.5.1700 Duttenberg
D6. Christian *30.1.1702 Duttenberg
D7. Joseph *14.1.1704 Duttenberg
D8. Joannes Petrus *27.6.1706 Duttenberg
D9. Maria Catharina * 18.6.1708 Duttenberg
D10. Joannes Jakob *14.7.1711 Duttenberg
C6. **Mathäus** *ca. 1655-1660 Duttenberg - +26.2.1730
oo 24.2.1686 **Eva Maria Elisabeth Erasmus** *? Weingarten – +31.3.1700 Duttenberg
p: Bartholomäus Erasmus, Präfekt des Deutschen Ordens; m: Maria Anna N.
D1. **Joannes Georg** *21.3.1688 Duttenberg - +?
oo 19.5.1722 Duttenberg: **Barbara Hartmann** *6.3.1688 Untergriesbach - +?
p: Johann Hartmann; m: Anna Margaretha Götz
E1. **Thomas Joannes** *19.12.1723 Duttenberg - +25.3.1773 Duttenberg
1.oo 26.2.1748 Duttenberg: **Benedicta Gress** *21.3.1724 - +?
p: Johannes Michael Gress; m: Maria Katharina Streeb
F1. **Georg Casimursis** *1.3.1751 Duttenberg – +3.4.1802 Pest
oo 7.8.1786 Pest: **Clara Felner** *26.6..1766 Pest – +21.5.1807 Pest
p: Andreas Felner; m: Elisabeth Pestiny
G1. **Jakob** 15.6.1787 Pest - +6.9.1843 Pest
oo1.11.1815 Buda (Krisztinavaros): **Karolina Müller**
*16.4.1795 Buda - +30.6.1883 Budapest
p: Philipp Müller; m: Theresia Anderl
H1. **Fülöp Jakab** *3.10.1816 Pest - +24.5.1902 Budapest
oo 16.9.1844 **Alojzia Maria Bauer**
*23.6.1826 Vacszentlaszló (bei Valkó) - +6.5.1889 Budapest
I1. **Fülöp** *28.8.1845 Pest - +15.12.1906 Budapest
oo 8.12.1869 Pest: **Antónia Szepessy** *26.4.1850 - +5.3.1920
J.1 **Jenö** *12.7.1870
I2. **Alajos** Nepomuk Karoly 11.11.1846 Pest - +12.12.1928 Bp
1.oo **Amalia Kaczvinszky** *1847 - +17.12.1883
2.oo 2..2.1885 **Auguszta Kauser** *8.8.1858 Pest - +12.1.1938

I3. Ilka *17.5.1850 Pest – 16.4.1888 Budapest
oo 25.2.1878 Agost szilvagyi Benárd
I4. Sarolta *29.5.1851 Pest - +20.2.1926 Budapest
1.oo 23.12.1874 Lipot Kauser *22.7.1818 Pest – 4.12.1877
2.oo 6.7.1879 Janos Kauser *21.4.1847 Pest – 1.4.1925 Bp.
I5. Karoly *12.8.1852 - + nach 1887
I6. Aurelia Amalia (Aranka) *29.6.1854 – nach 1897
1. oo 25.5.1872 Istvan Linzbauer *1839 - +7.11.1880
2. Kalman Thuróczy *1847- +26.5.1897
I7. Franciscus Xaver (Ferenc) *29.11.1855 Pest – nach 22.10.1919
1.oo 5.8.1883 Katalin Nováki *1860/61 - +13.3.1889 Léh
J1. Andras Ferenc Gedeon 1.3.1889 Léh
2.oo 1.6.1889 Debrecen: Adél Novelly (verw. Soter)
*24.1.1854 Kassa – 11.11.1916 Debrecen
J2. Zoltan Lájos Ferenc 13.7.1891 Léh – 22.10.1919 Debrecen
I8. Carolus Borom. Lud. (Lajos) *23.5.1857 Pest – nach 1887
oo 16.11.1886: Anna Cath. Magd. Porst *8.3.1868 - +?
I9. Alojzia Theresia *26..9.1860 Pest - +7.7.1900 Budapest
oo 10.1.1880 Gyula Kauser *1855 Pest - +25.5.1920 Budapest
I10. Eleutherius (Elemér) 9.6.1863 Pest – nach 1887, vor 1931
oo Hermina borsodi Latinovits *1863 - +7.4.1931
I11. Maria Anna 15.1.1866 – nach 1887
oo 30.5.1885 Gedeon alszászi Walther *20.12.1852
I12 Adalbertus *15.10.1867 (früh verstorben)
H2. **Karoly** *19.1.1819 Pest - +19.4.1882 Budapest
oo 20.2.1846 **Borbala Feszl** *8.1.1829 (mit falschem Vornamen
Theresia - wie ihre Mutter - eingetragen.) - +31.3..1895
I1. Gyula 26.3.1848 Pest
1.oo Maria Bessenyei
2.oo Karolina Clemenz *1862-+ 8.5.1892
I2. Karóly *14.3.1858 Pest- 14.8.1902
oo 6.6.1885 Alexandrine Ehrlich *? - +18.10.1918 (?)
I3. Jànos *4.6.1860 - +12.3.1941
oo Gizella Fuchs *1872 - +28.10.1932 Budapest
H3. Alojzia *26.2.1820 Pest - +16.9.1902 Budapest
oo 11.8.1845 Janos Kauser *27.4.1817 Pest - +1.10.1871 Pest
H4. Karolina (Sarolta) *26.5.1821 Pest - +1.2.1861 (Alsovizivaros)
oo 16.9.1844 Ignac Schlick *13.4.1820 Belvaros - +23.12.1868
I1. Karolina (Sarolta) *2.9.1845 – 19.3.1926
1.oo 1863 Jakab Paczka; 2.oo Frigyes Langenfeld
I2. Jozsef *6.3.1847
I3. Bela *18.12.1851 – 4.8.1899
oo Bubola Hermina *1861 - +24.6.1922
H5. Jakob *7.10.1822 - +11.4.1831
H6. Maria *23.5.1824 Pest - +vor ihrem Mann (1902)
oo 8.1.1853 : Janos kiskeri Toth
*14.11.1820 Lakszakallas – 19.7.1902 Budapest
I1. Julius Carolus *25.11.1853 Maklar
I2. Julius Aloysius *5.11.1855 Maklar
I3. Stephan Jakob *22.7.1859 Eger
I4. Antonia *1.10.1864 Budapest
H7. Agoston *11.5.1825 - +4.12.1874

oo 11.2.1850 Aloysia Halbauer 17.2.1830 - +22.7.1877
I1 Agoston Miklos *9.12.1850
I2. Johannes Nep. Georg *10.2.1855
I3. Vilhelmina Theresia *16.10.1856
I4. Maria Aloysia *13.12.1857
I5. Aloysia Carolina *27.7.1859
oo Janos Hatar (sie lebten in Peczel)
I6. Gizella Josepha *16.4.1861
I7. Johanna Barbara Georgia *24.6.1862
oo József Hollos
I8. Ladislaus Jakab *12.9.1865 – 1912
oo Irma Rauschenberg *1874-+22.6.1957
H8. Janos *27.12.1826 - +23.5.1904 Bp (Tabakhändler in N.Y.)
oo 2.11.1869 Maria (Irma) Fillinger *7.7.1844 – 5.9.1928
I1. Imre *9.10.1870 - +1872
I2. Margit 21.1.1872 – nach 1929
oo Karoly Sigmund
I3. Jakab *28.4.1873 - +7.2.1955
oo Ilona Scheibel *20.11.1888 - +4.9.1944
I4. Dezsö *11.4.1874 - +1945
oo Gizella Langheinrich *1870 - +20.4.1942
I5. Bela *31.5.1876 - +1878
I6. Aladár *1.2..1878 - + 22.12.1929
1.oo Margit Garai; 2.oo Maria Ecsedi
I7. Ernö *10.7.1880 – 9.10.1929
oo Maria Innendorfer *?-+11.2.1951
I8. Pàl *20.1.1883 - +2.2.1883
I9. Vilmos 6.2.1884
oo Magda Fillinger
H9. Francisca *6.7.1828
H10. Ferenc *30.11.1830 Pest - +22.10.1920 Budapest
oo 7.2.1886 Emila Szerelemhegyi *1829
H11. Bernardus *23.7.1832 - +24.2.1833
H12. Emericus *27.10.1833 - +31.10.1833
G2. Catharina *1.4.1789 - + bis 1800
G3. Anna *2.3.1790 - +vor 1802
G4. Antonius *21.5.1791 - +vor 1802
G5. Jozsef *18.3.1792 – +nach 1840
oo 27.5.1823 Terezia Tomatsek *1805 - +nach 1840
H1. Josepha 23.6.1825
H2. Istvan Ferenc Jozsef *20.8.1828 - +nach 1900
oo Borbala Frankendorfer *1837 - +3.5.1900
I1. Barbara Antonia Elisabeth *12.9.1858
H3.Carolina Maria *15.10.1830
H4. Maria Hermina *6.9.1834
H5. Aloysia *27.11.1836
H6. Augustus *27.8.1840
G6. György *19.9.1794 – nach 1821
oo 19.6.1821: Magdolna Bengart
G7. Clara *2.3.1796 - +nach 1835
oo 23.11.1816: Joannes Walser BR 26.6.1816
*1783 Schüssenried (Mittelbiberach) – 28.3.1865, Faßbinder

H1. Maria Anna *6.9.1818 - +19.3.1901
H2. Joseph *22.6.1822
H3. Clara *13.5.1824
H4. Ferenc *1.10.1827 - +1901; Glockengießer (eigene Fabrik)
oo Anna Schmidt
H5. Theresia *12.3.1829
H6. Jakob *3.4.1832 - +27.3.1893, Faßbindermeister
oo Marie Zivkovics
H7. Jakob Antonius / Philipp Antonius *11.2.1834
H8. Aloysia *7.7.1835
G8. Catharina *15.6.1800
oo? Vincentius Grumüller, Wiener Uhrmacher, BR 17.1.1817
H 5.8.1826 Emilia Carolina
F2. Thomas *Dezember 1753 Duttenberg – ca. 1791 Duttenberg
2.oo Maria Cordula N.
F3. Maria Gertrudis *17.3.1757
3.oo Maria Barbara N.
F.4 Maria Sophia *16.5.1762 Duttenberg
oo Conrad Müller
G1. Anna Helena *3.7.1798 – 24.11.1856 Duttenberg
F5. Maria Walpurga *1.5.1767 Duttenberg
oo Martin Ruhm
F6. Vincentius *22.1.1770 Duttenberg
F7. Franz Anton 1770 Duttenberg
oo Magdalena Kuehner
G1. Anna Clara *16.9.1806 Duttenberg
E2. Eva Cordula *25.10.1727 Duttenberg
E3. Joannes Ägidius *1.9.1728 Duttenberg
E4. Joannes Josephus *19.3.1730 Duttenberg
E5. Joannes Georg *9.4.1733 Duttenberg - +24.10.1733 Duttenberg
D2. Maria Margaretha *11.2.1690 Duttenberg
D3. Maria Margaretha *15.1.1692 Duttenberg
D4. Georgius Michael *29.5.1695 Duttenberg
D5. Georgius Michael *23.1.1697 Duttenberg
D6. Petrus *22.2.1700 Duttenberg

2.4. Dokumente der Familie Kölber

12 Infans Maria salome pater Hanß Müller
Mater Barbara Leuans Maria salome D:
Johannis philippi Wanckhel tunc temporis Ambt
man in Heüchling Ver:

Taufe von Salome Müller am 12.9.1627 in Offenau

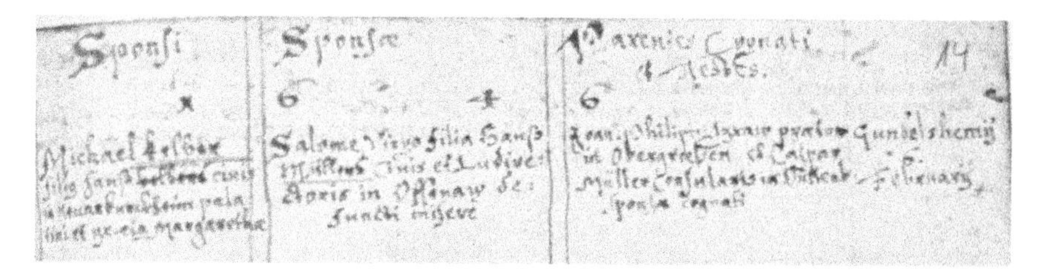

Trauung von Michael Kelber (Sohn von Hans Kelber – Bürger in Neccarburkhein - und Margaretha) und Salome Müller am 6.2.1646 in Gundelsheim

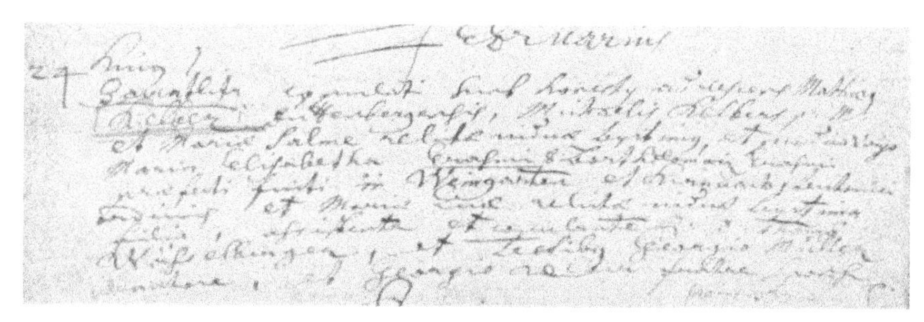

Trauung von Mathäus Kelber und (Eva) Maria Elisabetha Erasmus am 24.2.1686 in Db

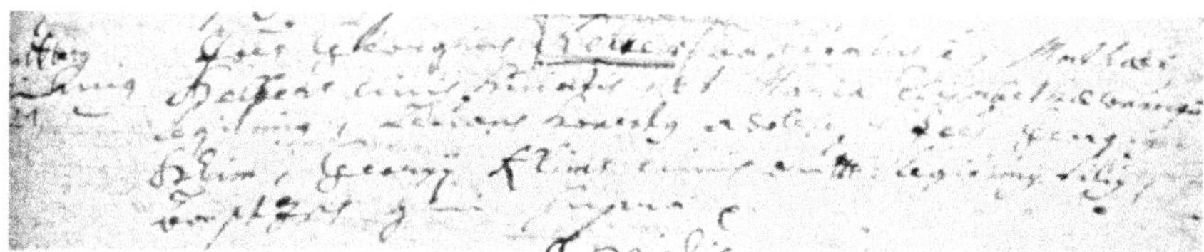

Taufe von Joannes Georg Kelber am 21.3.1688 in Duttenberg

Trauung von Jo(ann)es Georgius Kelber und Maria Barbara Hartmann am 19.5.1722

Taufe von Jo(ann)es Thomas Kälbr am 19.12.1723 in Duttenberg

Trauung von Thomas Kälber und Benedikta Gress am 26.2.1748 in Duttenberg

Taufe von Georgius Casimursis Kälber am 1.3.1751 in Duttenberg

Bestattung von Casimirus Kölber am 3.4.1802 in Pest

Taufe von Anna Clara Felner am 26.6.1766 in Pest

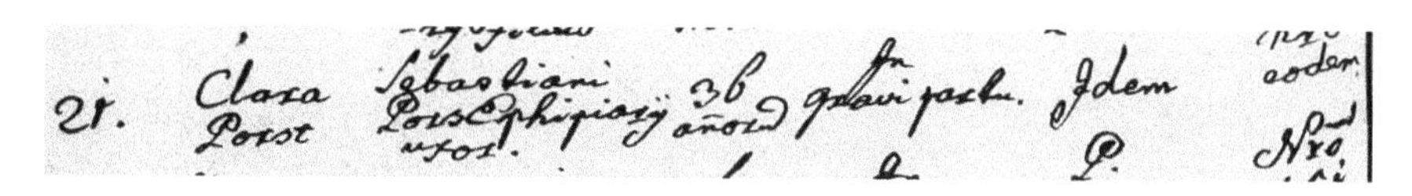

21. Clara Porst | Sebastiani Porst Ephippiarii uxor | 36 annorum | [illegible] | Idem | [illegible]

Bestattung von Clara geb. Felner, verwitwete Kölber, wiederverh. Porst am 21.5.1807

7. Casimirus Kelber Franconicus Ephippiarius 30 et Clara Felner Obst 15 | Augustus | Josephus [illegible]

Trauung von Casimirus Kelber und Clara Felner am 7.8.1786 in Pest

Franciscus [illegible]

Sessio Magistratualis

Pestini die 1a May 784.

Jacobus Schwabel Pestiensis Sutor Magister, Casimirus Kölber ex Imperio Bohemiae Tuttenberg Ephippiarius, Josephus Lassnik [illegible] ex Carinthia Pitta Villach

126

uti non Laurentius [illegible] [illegible] ex Austria Pitta [illegible] omnes Romano Catholici, depositis Consuetis Conciviliatatis pretiis in Cives [illegible], hujus, ac Regiae Pittis Pestiensis assumpti sunt,

Bürgerrecht für Casimirus Kölber aus Tuttenberg, Ratssitzung am 1.5.1784

15 Jacobus | Casimirus Kelber et Clara | Georg. Miller [illegible]

18 Johannes | [illegible]

Taufe von Jacobus Kelber am 15.6.1787 in Pest

Bestattung von Jakob Kölber am 6.9.1843 in Pest

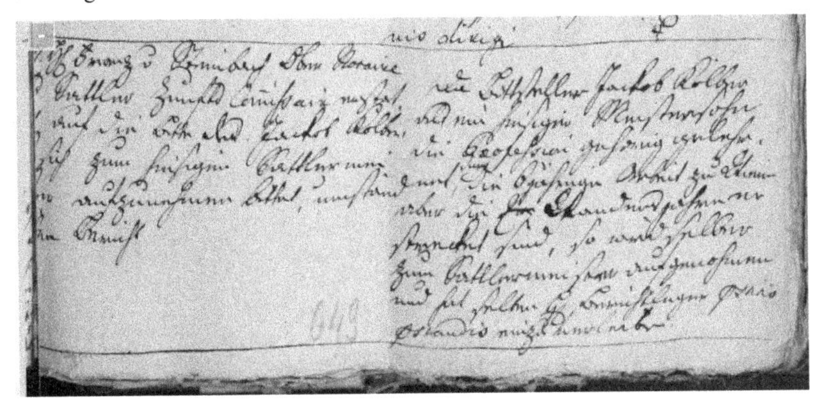

Jakob Kölber wird als Sattlermeister anerkannt: Ratssitzung am 11.9.1813

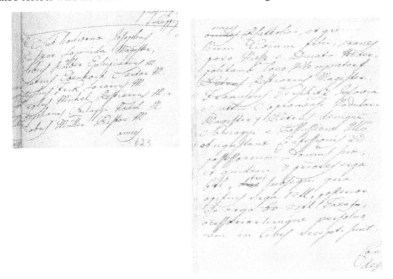

Bürgerrecht für Jacobus Kölber u.a., Ratssitzung am 17.6.1781

Taufe von Carolina Müller am 16.4.1795 in Buda (St. Sigismund-Kapelle); der Vorname des Vaters, Franz, ist falsch angegeben: es ist Philipp Müller, Besitzer der Wagenfabrik.

Bestattung von Karolina Kölber (geb. Müller) am 30.6.1883 in Pest

Trauung von Jacobus Kelber und Caroline Miller (Müller) am 1.11.1815 in Buda Kristinavaros); Trauzeuge ist Benedikt Fellner, späterer Bürgermeister von Pest

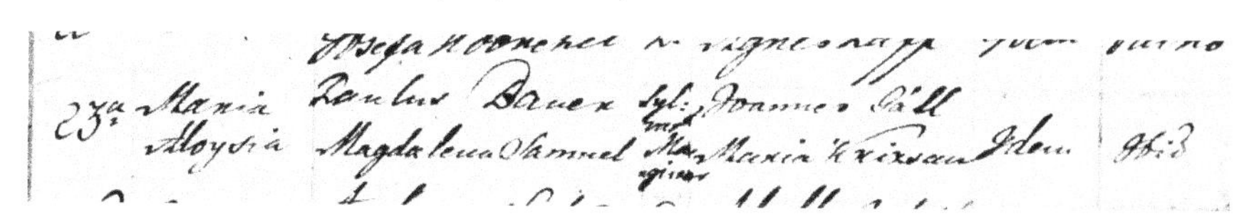

2.	Philippus et Jacobus.	Jacobus Kölper Civis Ephi. Carolina Müller.	Philippus Müller Civis Buda Viduus.	R. Eustachius Wagner	[illegible]

Taufe von Philipp Jacobus Kölper (= Kölber) 3.10.1816

Taufe von Maria Aloysia Bauer 23.6.1826

16.	Kölber Fülöp Jakab, és Bauer Aloysia Katolikusok.	[illegible]	Szép Mátyás [illegible] és Szepesy Ferenc [illegible]	Sámuel Alajos Pest Józsefvárosi plébános [illegible]	Felmentve.

Trauung von Fülöp Jakab Kölber mit Aloysia Bauer 16.9.1844

31	Fülöp Jakab Alajos	Kölber Fülöp Bauer Aloyzia r.k.	Kocsigyártó Mester	Sámuel Alajos Pest Józsefvárosi Plébános Alesperes	Plébános

Taufe von Fülöp Jakab Allajos Kölber 31.8.1846 (Geburt 28.8.1846)

24	Antonia Katalin Magdolna törvényes	Szepesy Eduard és Lauraini Antonia R.C.	magánélő	Lauraini Katalin özvegy	Plébános

Taufe von Antonia Szepesy am 24.6.1850

309	III.	Kölber Fülöpp Jakab Alajos, cs. kir. udvari kocsigyártó mester, Kölber Fülöpp r.k. és Bauer Alojzia r.k. fia és Szepesy Antonia Cathar. Magdolna, Szepesy Ede r.k. és Lauraini Antonia r.k. leánya	Helyben [illegible] lakik Nagy kereszt utca 2. Itt [illegible] lakik Nyitra megy. Vepácon	r.k. r.k.	24 19

Trauung von Fülöpp Kölber mit Antonia Szeoesy am 8.12.1869

1207	12	24	Jenő Fülöp	/	/	Kölber Fülöp Kocsigyártó Szepesy Antonia r.k.	[illegible] 4 f.	Kölber Fülöp kocsigyártó, Kölber [illegible] Karolin, Kölber Alajos [illegible] r.k.	Kanovics Béla [illegible] Plébános	[illegible]

Taufe von Jenö Kölber am 12.7.1870

11 Szül. 12	Alajos Nepomuk Károly Lajos	Kölber Fülöp Bauer Aloyzia r.k.	Kocsigyártó	N. Sámuel Alajos [illegible] belvárosi plébános, Kölber [illegible]	Plébános

Geburt / Taufe von Alajos Kölber am 11. / 12. 11. 1846

Numerus Currens	Annus et Dies Nativitatis	Collati S. Baptismi	Nomen	Sexus masc.	Sexus foem.	legit.	illegit.	Nomen Parentum, eorum Conditio et Religio	Locus Domicilii cum Numero Domus	Nomen Patrinorum, eorum Conditio et Religio	Nomen Baptisantis	Observationes
[illegible]	8	14	Augusta		/	/		Kauser Joannes lapicida magister [illegible] Kölber Aloysia [illegible]	Pest [illegible]	[illegible]	[illegible]	[illegible]

Geburt von Augusta Kauser am 8.8.1858

Sorszám	Esküvési év, hónap s nap	Vezeték- és keresztneve s polgári állása valamint a szülőknek vezeték- és keresztneve s polgári állása	Születés- és lakhelye, utca s házszám	Vallása	Kora	Állapota: Nőtelen, Hajadon	Állapota: Özvegy	A tanúknak vezeték- és keresztneve polgári állása s vallása	Az eskető lelkésznek vezeték- és keresztneve s hivatala	Voltak-e hirdetve avagy a hirdetéstől vagy más akadálytól felmentve?	Észrevételek
80	2	Kölber Alajos [illegible] Kölber Fülöp és [illegible] Luiza [illegible] fia	[illegible]	rk	38	/	"	Kölber Fülöp [illegible]	[illegible] Béla plébános	[illegible]	[illegible]
		Kauser Augusta Kauser János és Kölber Luiza [illegible] leánya	Budapest [illegible]	rk	27	/	"	Kauser János építész			[illegible] 1885. august. 8.

Trauung von Alajos Kölber und Augusta Kauser 1885

19a	Carolus Borrom.	Jacobus Kölber Ephippiarius et Uxor Carolina Müllner	Philippus Müller Tabacke Fabricator	Idem	Hatvan:

Taufe von Carolus Kölber am 19.1.1819

Taufe von Borbala (ein falscher Vorname, nämlich der ihrer Mutter – Theresia - ist eingetragen) Feszl am 8.1.1829

20.	Kölber Károly nőtlen, Rk. 24 éves és Feszl Borbála hajadon. Rk. 16 éves	Szíjgyártó mester Pesten született Terézvárosi lakos helyb. született hivem.	a férj hölgye bizonyitványnyal ellátva a Pestbelvárosi egyházba és kedden elbocsáttatott.	hirdetés felmentéssel

Trauung von Karoly Kölber und Borbála Feszl am 20.2.1846

Bürgerrecht für Kölber Fülöp und Kölber Karoly, Ratssitzung am 5.3.1847

Pákai Kölber Alajosné szül. Kauser Auguszta mint felesége, Anna, Fülöp és Pál mint gyermekei, pákai Kölber Fülöpné szül. Heller Margit, pákai Dr. Kölber Pálné szül. Kauser Andrea mint menyei úgy a maguk, mint az összes rokonság nevében megtört szívvel jelentik, hogy forrón szeretett férje, illetve édesatyjuk, apósuk és rokonuk

pákai Kölber Alajos

okl. gépészmérnök, cs. és kir. udvari kocsigyáros, m. kir. kormányfőtanácsos

folyó hó 12-én délután ½6 órakor, igen hosszu szenvedés után, 82 éves korában, boldog házasságának 44-ik évében váratlanul elhunyt.

Drága halottunk hült tetemét folyó hó 14-én délután 3 órakor fogjuk **a kerepesi uti temető halottasházában** a róm. kath. egyház szertartása szerint beszenteltetni és ugyanazon temetőben lévő családi sírboltba örök nyugalomra helyezni.

Az engesztelő szent miseáldozat folyó hó 15-én délelőtt 9 órakor fog a Szent Rókus plébániatemplomban a Mindenhatónak bemutattatni.

Budapest, 1928. december hó 13-án.

Béke lengjen porai felett!

Lakás: **VIII. Vas-u. 6.**

Községi temetkezési intézet VIII. Baross-u. 67. Tel. József 308—17

Totenzettel für Alajos pákai Kölber 12.9.1928

A fulirottak úgy saját, mint az összes rokonság nevében fájdalomtól sujtott szívvel jelentik, hogy forrón szeretett felejthetetlen jó édesatyjuk, illetőleg testvérük, nagyatyjuk, dédatyjuk, apósuk, sógoruk és rokonuk

idősb pákai KÖLBER FÜLÖP

magánzó és a Ferencz József-rend lovagja

folyó hó 24-én este ½7 órakor, életének 80-ik évében rövid betegség és a haldoklók szentségeinek ájtatos felvétele után az Urban csendesen jobblétre szenderült.

A boldogultnak hült tetemei hétfőn, folyó hó 26-án délután 4 órakor fognak **a kerepesi uti temető halottasházában**, a róm. kath. hitvallás szertartása szerint beszenteltetni és ugyanezen temetőben lévő családi sírboltban örök nyugalomra helyeztetni.

Az engesztelő szent miseáldozat az elhunytnak lelki üdveért szerdán, folyó hó 28-án délelőtt 10 órakor fog a józsefvárosi plébániatemplomban az Urnak bemutattatni.

Budapest, 1902. május hó 25-én.

ÁLDÁS, BÉKE PORAIRA!

Ifj. pákai Kölber Fülöp
pákai Kölber Alajos
pákai Kölber Sarolta
férj. **Kauser Jánosné**
pákai Kölber Aranka
özv. alsókörösknyi Thuróczy Kálmánné
pákai Kölber Ferencz
pákai Kölber Lajos
pákai Kölber Elemér
pákai Kölber Mária férj. **Walther Gidáné**
mint gyermekei.

özv. Kauser Jánosné szül. **Kölber Alojzia**
gyermekeivel
Kölber János és neje gyermekeivel
Kölber Ferencz és neje gyermekeivel
mint testvérei.

Szilvágyi Benárd Ágost
Kauser János
Kauser Gyula
Walther Gida
mint vejei.
Ifj. pákai Kölber Fülöpné
szül. **Szepessy Antonia**
pákai Kölber Alajosné
szül. **Kauser Auguszta**
pákai Kölber Ferenczné
szül. **Novelly Adél**
pákai Kölber Lajosné
szül. **Porst Anna**
pákai Kölber Elemérné
szül. **borsodi Latinovits Hermina**
mint menyei.

Kölber Jenő és neje szül. **Grundt Helén, Anna, Fülöp** és **Pali, Benárd Ágoston, Aladár** és **Géza, Kauser Márta** és **Mukika, Thuróczy Aranka** férj. **báró Goumöens Gusztávné, Thuróczy Ilonka** férj. **Reiss Szigfriedné, Kauser Lipót, Andor** és **Sarolta, Kölber Andor, Piroska** és **Zoltán, Kölber József** és **Stefike, Kölber Herminke, Walther László, Gida** és **Jolánka** mint unokái.

Kölber Lucy és **Jenő, báró Goumöens Mariska** és **Conon** dédunokái.

Entreprise des pompes funèbres iroda: **Mária Terézia-tér 19**

Totenzettel für Fülöp pákai Kölber 24.5.1902

Alulirottak ugy saját, mint az összes rokonság nevében fájdalomtól sujtott szivvel jelentik, hogy forrón szeretett felejthetetlen jó hitvestársa, illetőleg édesanyjok, anyósuk és nagyanyjok

IDŐSB PÁKAI KÖLBER FÜLÖPNÉ

SZÜL. BAUER ALOJZIA URNŐ,

folyó hó 8-án este 7 órakor, életének 63-ik, boldog házasságának 45-ik évében, rövid szenvedés után az Urban csendesen jobblétre szenderült.

A boldogultnak hült tetemei pénteken, folyó hó 10-én délután 4 órakor fognak a gyászházban: VII. ker., Kazinczy-utca 2. sz. a., a róm.-kath. hitvallás szertartása szerint beszenteltetni és a kerepesi ut melletti temetőben lévő családi sirboltban örök nyugalomra tétetni.

Az engesztelő szent mise-áldozat az elhunytnak lelki üdveért szombaton, folyó hó 11-én délelőtt 10 órakor fog a ferencrendi atyák belvárosi templomában az Urnak bemutattatni.

Budapesten, 1889. május 8-án.

Áldás és béke poraira!

Idősb pákai Kölber Fülöp
férj.

ifj. pákai Kölber Fülöp
pákai Kölber Alajos
Kölber Sarolta
férj. **Kauser Jánosné**
Kölber Aranka férj. **alsó-köröskényi Thuróczy Kálmánné**
pákai Kölber Ferenc
Kölber Lajos
Kölber Luiza
férj. **Kauser Gyuláné**
Kölber Elemér
Kölber Mária
férj. **Walther Gidáné**
gyermekek.

szilvágyi Benárd Ágost
Kauser János
Alsóköröskényi Thuróczy Kálmán
Kauser Gyula
Walther Gida
vők.

ifj. pákai Kölber Fülöpné
szül. **Szepessy Antónia**
pákai Kölber Alajosné
szül. **Kauser Auguszta**
Kölber Lajosné
szül. **Forst Anna**
menyek.

Kölber Jenő, Anna, Mária, Fülöp János, Andor és **Piroska: Benárd Ágoston, Aladár** és **Géza: Kauser Lipót, Andor, Sarolta** és **Pál: Walther László** és **Gida**
unokák.

Entreprise des pompes funèbres (Gyár-utca 1.)

Totenzettel für Alojzia Kölber (Bauer) 8.5.1889

Id. **Kölber Jenő** és neje szül. **Schorm Margit** mint az elhunyt fia, illetve menye, **ifj. Kölber Jenő** mint unokája ugy a maguk, valamint az alulirottak és nagyszámu rokonságuk nevében is, legmélyebb fájdalommal tudatják, hogy szeretett és felejthetetlen édesanyja, anyósa, nagyanyja, testvér, sógornő és rokon

özv. KÖLBER FÜLÖPNÉ

szül. Szepessy Antónia

folyó hó 4-én délután 5 órakor, **életének 70-ik évében, hosszas szenvedés** és a haldoklók szentségének ájtatos felvétele után az Urban csendesen elhunyt.

Drága halottunk földi maradványait folyó hó 6-án délután 1/4 4 órakor helyeztük a **kerepesi ut melletti temető halottasházából** a róm. kath. egyház szertartása szerint örök nyugalomra az ugyanazon temetőben levő családi sirboltba.

Budapest, 1920. márczius hó 6-án.

Áldás és béke poraira!

Szepessy Lajos
Szepessy Béla
Szepessy Miczi
Szepessy Katalin
Szepessy Louise
férj. **Báró Thawonat Gusztávné**
testvérei.

Szepessy Lajosné
szül. **Löwenfeld Eugenia,**
Báró Thawonat Gusztáv
sógornője illetve sógora.

Községi temetkezési intézet központi irodája, IV. Kigyó-utcza 5. sz.

Nyomt. Buschmann F. utódai IV. Ferencz József-rakpart 6-7.

Totenzettel für Antonia Kölber (Szepessy) 5.3.1920

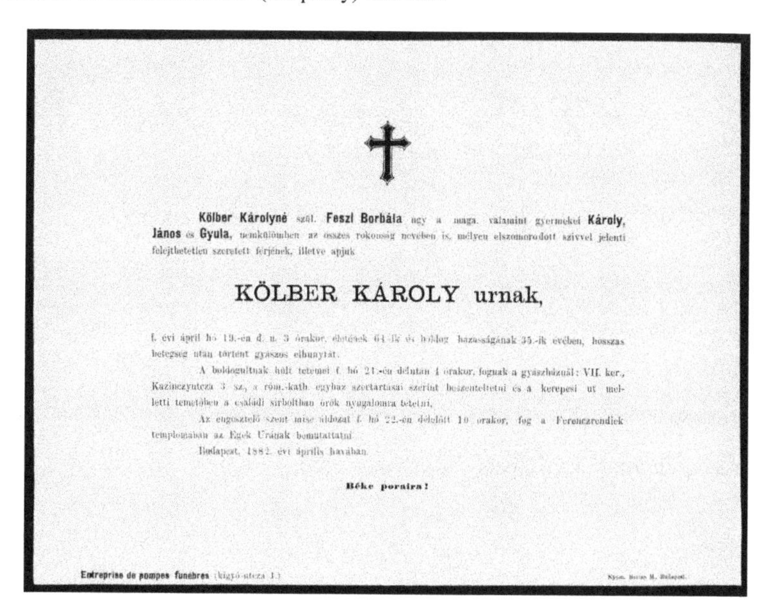

Kölber Károlyné szül. **Feszl Borbála** ugy a maga, valamint gyermekei **Károly, János** és **Gyula,** nemkülönben az összes rokonság nevében is, mélyen elszomorodott szivvel jelenti felejthetetlen szeretett férjének, illetve apjuk

KÖLBER KÁROLY urnak,

f. évi ápril hó 19.-én d. u. 3 órakor, életének 64-ik és boldog házasságának 35.-ik évében, hosszas betegség után történt gyászos elhunytát.

A boldogultnak hült tetemei f. hó 21.-én délután 4 órakor, fognak a gyászháznál: VII. ker., Kazinczyutcza 3. sz., a róm.-kath. egyház szertartásai szerint beszenteltetni és a kerepesi ut melletti temetőben a családi sirboltban örök nyugalomra tétetni.

Az engesztelő szent mise áldozat f. hó 22.-én délelőtt 10 órakor, fog a Ferenczrendiek templomában az Egek Urának bemutattatni.

Budapest, 1882. évi április havában.

Béke poraira!

Entreprise de pompes funèbres (kigyó-utcza 1.)

Totenzettel für Karoly Kölber 19.4.1882

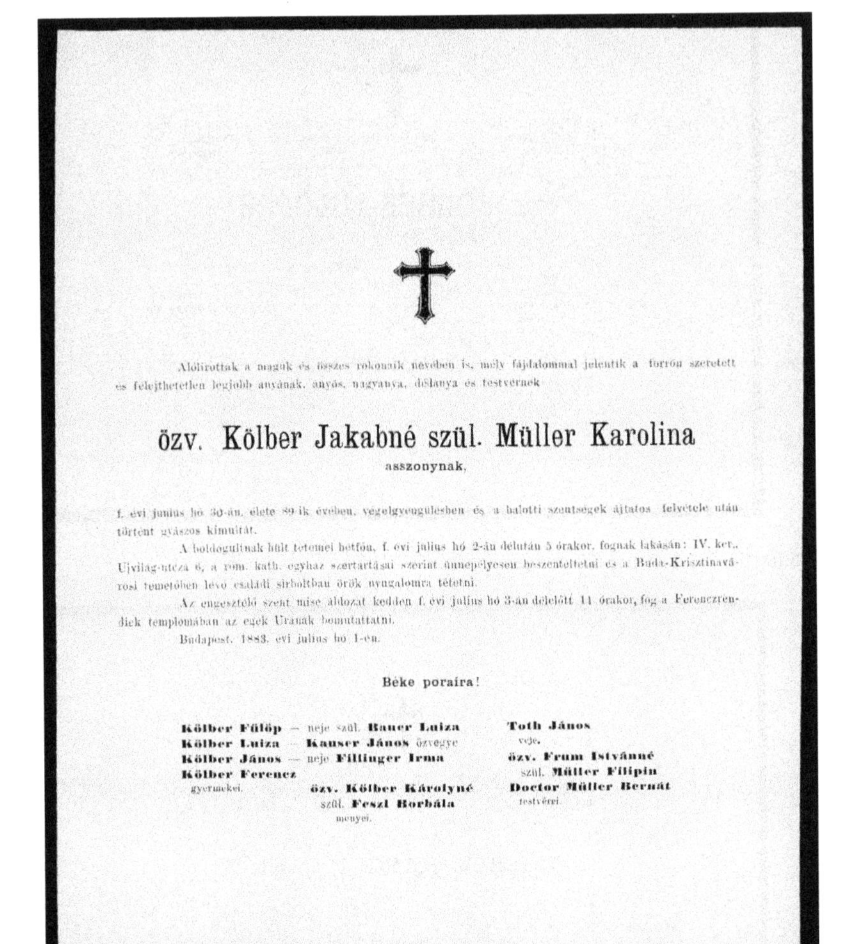

Alólirottak a maguk és összes rokonaik nevében is, mély fájdalommal jelentik a forrón szeretett és felejthetetlen legjobb anyának, anyós, nagyanya, dédanya és testvérnek

özv. Kölber Jakabné szül. Müller Karolina

asszonynak,

f. évi junius hó 30-án, élete 89-ik évében, végelgyengülésben és a halotti szentségek ájtatos felvétele után történt gyászos kimultát.

A boldogultnak hült tetemei hétfőn, f. évi julius hó 2-án délután 5 órakor, fognak lakásán: IV. ker., Ujvilág-utcza 6, a róm. kath. egyház szertartásai szerint ünnepélyesen beszenteltetni és a Buda-Krisztinavárosi temetőben levő családi sirboltban örök nyugalomra tétetni.

Az engesztelő szent mise áldozat kedden f. évi julius hó 3-án délelőtt 11 órakor, fog a Ferenczrendiek templomában az egek Urának bemutattatni.

Budapest, 1883. évi julius hó 1-én.

Béke poraira!

Kölber Fülöp — neje szül. **Bauer Luiza**
Kölber Luiza — **Kauser János** özvegye
Kölber János — neje **Fillinger Irma**
Kölber Ferencz
gyermekei.

özv. Kölber Károlyné
szül. **Feszl Borbála**
menyei.

Toth János
veje.

özv. Frum Istvánné
szül. **Müller Filipin**
Doctor Müller Bernát
testvérei.

Entreprise de pompes funèbres (Kigyó-utcza 1.)

Totenzettel für Karolina Kölber (Müller) 30.6.1883

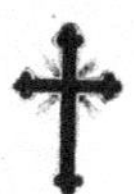

Alulirottak, mint fiai, a maguk és az összes rokonság nevében mély fájdalomtól megtört szivvel jelentik az igazan szerető anyanak

özv. Kölber Károlyné szül. Feszl Borbála

urnőnek,

folyó évi márczius hó 31-én reggel 6 órakor, életének 66-ik évében történt gyászos elhunytát.

A boldogult hült tetemei **április hó 2-án: kedden d. u. ¾4 órakor** fognak a **VII. ker., Kazinczy-utcza 3. számu házból** a kerepesi uti temetőben levő családi sirboltba az örökké valóságnak átadatni.

Az engesztelő szent miseáldozat a tisztelendő szervitaatyak templomaban **április 3-án: szerdán délelőtt 10 órakor** lesz az Urnak bemutatva.

Budapest, 1895. márczius hó 31-én.

Áldás emlékére!

Kölber Károly,
Kölber János,
Kölber Gyula.

Entreprise des pompes funèbres Budapest, kigyó-utca 1.

Totenzettel für Borbála Kölber (Feszl) 31.3.1895

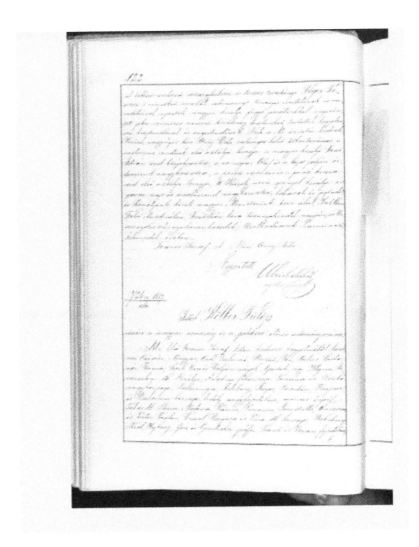

Adelsbestätigung für Philipp Kölber 1887 (1) [királyi könyvék]

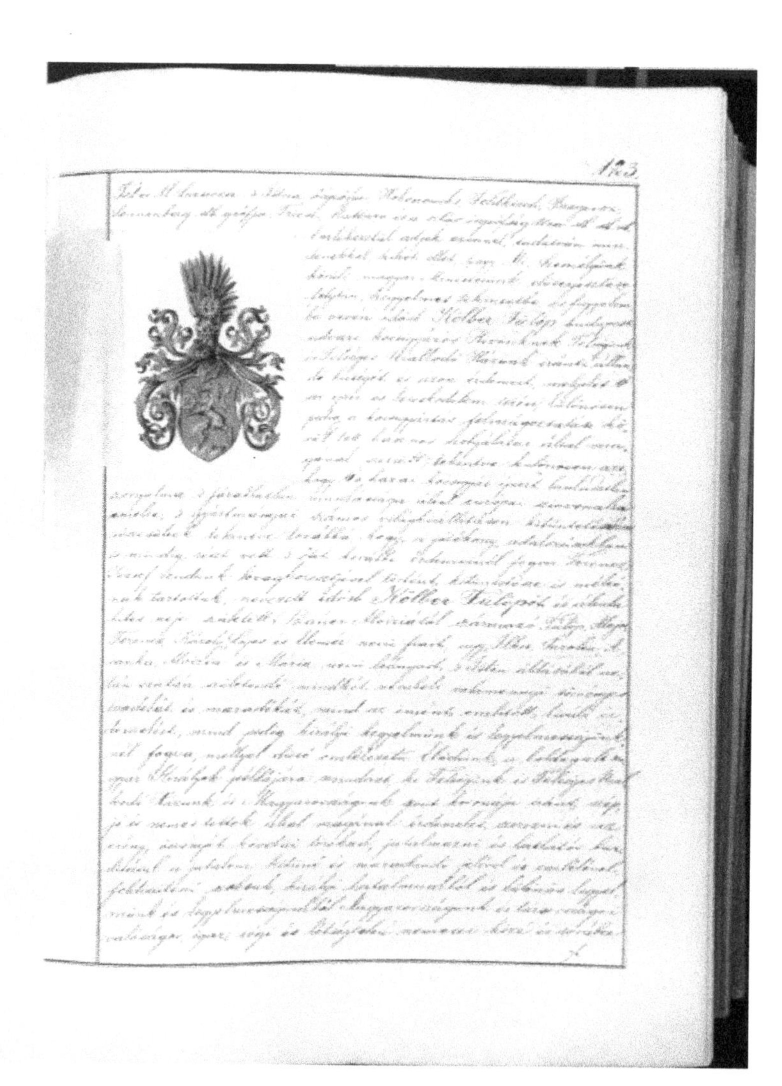

Adelsbestätigung für Philipp Kölber 1887 (2) [királyi könyvék]

Adelsbestätigung für Philipp Kölber 1887 (3) [királyi könyvék]

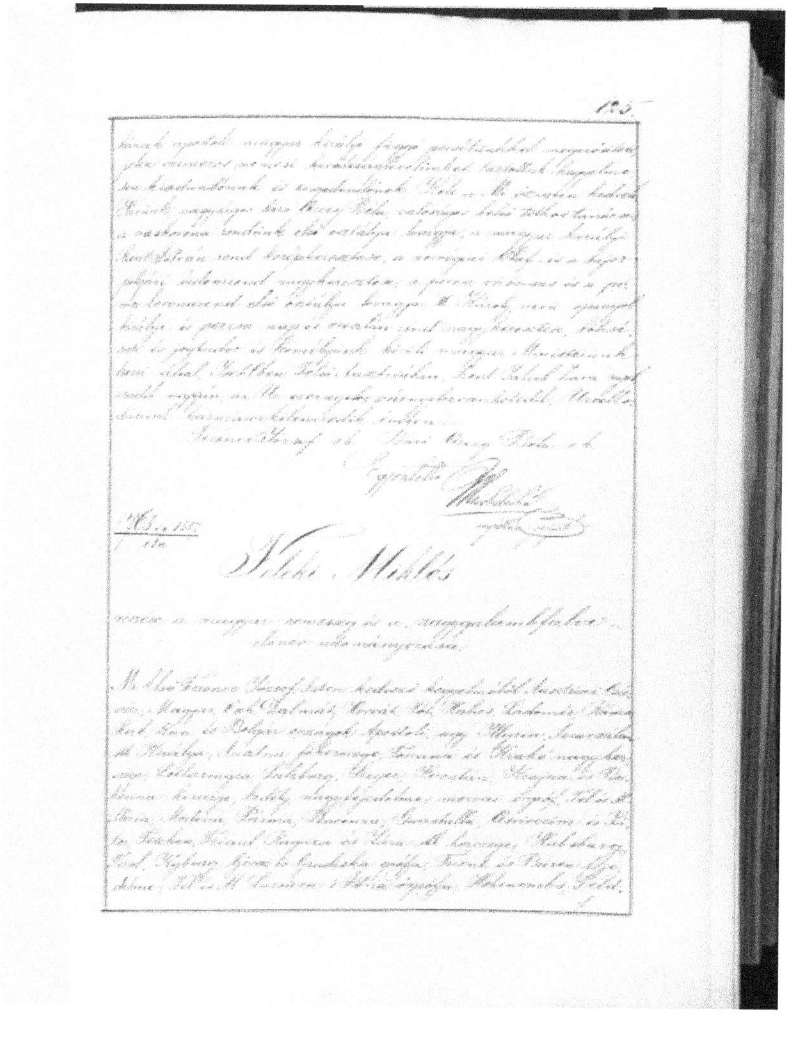

Adelsbestätigung für Philipp Kölber 1887 (4) [királyi könyvék]

3. Die Familie Schlick

***Die Große Markthalle von Budapest**: Wer immer - egal zu welcher Jahreszeit – erstmals in die ungarische Hauptstadt kommt, landet irgendwann unweigerlich in der Großen Markthalle (Nagy Vásárcsarnok). Allerdings ist sie nicht nur ein Touristenmagnet, sondern auch ein Tempel kulinarischer Köstlichkeiten und für viele waschechte Budapester eine bewährte Möglichkeit, die täglich nötigen Einkäufe zu tätigen.*

Das Gebäude der Großen Markthalle wurde von 1894 bis 1897 nach Plänen von Samuel Petz errichtet. Mit ihrem Langhaus und zwei Querschiffen erinnert sie von außen an eine römische Basilika. Betritt man das Innere so gewinnt man schlagartig einen ganz anderen Eindruck: ein auf Stahlelementen ruhender Stahl-Dachstuhl überdeckt eine Fläche von annähernd 10.000 Quadratmetern. Das ist ausgehendes 19. Jahrhundert pur. Technisch möglich wurde diese Konstruktion durch die Produkte einer in Budapest ansässigen Firma: der Gießerei Schlick.

3.1. Die Herkunft der Familie

Die mehrfach publizierte Behauptung, dass die Familie in der ersten Hälfte des 19. Jahrhunderts aus Mähren oder aus der Schweiz nach Ungarn kam, ist schlicht und einfach falsch. Die Familie Schlick stammt aus dem Salzburgischen, wo sie nachweislich seit 1639 (Beginn der Kirchenbuch-Eintragungen) in St. Michael im Lungau lebte.

St. Michael liegt in einem Tal am Fuße des Berges Speiereck. Im Süden befindet sich der Katschberg mit dem Katschbergpass und der Berg Aineck. Durch den Süden der Marktgemeinde fließt der Fluss Mur.
Im 5. Jahrhundert wurden die Römer durch die große Völkerwanderung aus dem Lungau verdrängt. Es tauchten die Slawen auf, deren Herrschaft circa 200 Jahre dauerte. Im 8. Jahrhundert drängten die Bajuwaren die Slawen zurück. Im 12. Jahrhundert wurde die Pfarrkirche von St. Michael erbaut. Im 13. Jahrhundert erhielt das Erzstift zu Salzburg das Gebiet von St. Michael.

Bis Ende Jänner 1962 gehörte die Gemeinde zum Gerichtsbezirk Sankt Michael im Lungau, seit dem 1. Februar 1962 ist sie Teil des Gerichtsbezirks Tamsweg. Das Gemeindegebiet umfasst heute (2018) die Ortschaften Höf, Oberweißburg, Sankt Martin, Sankt Michael im Lungau und Unterweißburg mit insgesamt ca 3500 Einwohnern. (Quelle: Wikipedia)

3.2. Wichtige Mitglieder der Familie Schlick

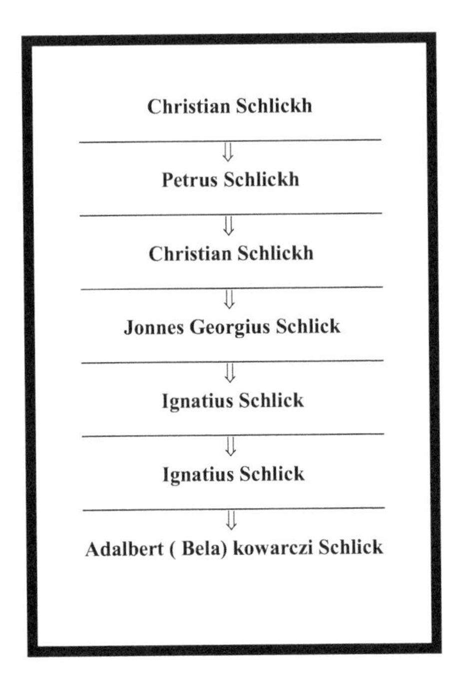

Christianus Schlickh (*ca. 1637 - +26.6.1699) und Lucia Länschizer (*12.12.1644 - +8.7.1695)

Nach dem wenigen, was man aus den Kirchenbüchern erfährt, wurde Christian Schlickh um 1637 geboren, also ca. zwei Jahre, bevor die Kirchenbücher von St. Michael im Lungau eingerichtet wurden. So weiß man nichts Sicheres über seine Eltern.[19] Mit seiner Frau, Lucia Länschizer (Tochter von

---

19 Als Eltern kommen vor allem zwei Paare in Frage, die in (Ober)weißburg lebten und deren *legitime* Kinder 1639 (Beginn der Kirchenbücher in St. Michael) getauft wurden: der 1637 geborene Christian Schlick könnte dann eines ihrer früheren Kinder sein:

- **Rupert Schlick und Brigitta**: leg. Sohn Georg *12.3.1639;
  ein Rupert Schlikh wurde am 11.6.1684 beerdigt, ein Witwer aus Unterweißburg, 79 Jahre alt, also 1605 geboren. Brigitta könnte seine Ehefrau gewesen sein.
  Der 1637 geborene Christian Schlick taufte seinen ersten Sohn auf den Namen Rupert, also vielleicht nach seinem Vater; das spräche dafür, daß Rupert Schlick und Brigitta seine Eltern waren.
- **Christian Schlick und Gertrudis**: leg. Sohn Andreas *9.4.1639;

Andreas Länschizer und Margaretha) hat er zunächst – wie in dieser ruralen Gegend offenbar üblich - ein uneheliches Kind: Rupert, geboren im März 1667. Christian Schlickh und Lucia Länschizer müssen danach getraut worden sein, also genau in der Zeit, für die es keine Eintragungen in den Kirchenbüchern gibt (1668/1669-1677). Die Taufe eines weiteren (legitimen) Kindes, Christian, findet sich erst wieder im Jahre 1781.
1695 stirbt Lucia Schlickh (geb. Länschitzer), 1699 folgt ihr Mann. Zu diesem Zeitpunkt ist er Sagmaister (Sägemeister) im ein bis zwei Kilometer westlich von St. Michael gelegenen Oberweißburg.

Petrus Schlickh (*ca. 1675 – +11.3.1755) und Susanna Pfeiffenberger (*ca. 1675 – +19.11.1755)

Auch die Geburt von Petrus Schlickh, Sohn von Christian Schlickh, fällt zeitlich in jene Lücke der Kirchenbucheintragungen. 1755 stirbt er, angeblich 80 Jahre alt, woraus man schließen kann, daß er ungefähr um 1675 geboren worden sein müßte. Exakt das Gleiche gilt für seine Frau, Susanna Pfeiffenberg, die er 1700 heiratet. Das Ehepaar hat drei Kinder. 1706 wird Christian geboren. Petrus Schlick ist zu dieser Zeit Kleinbauer in Unterweißburg, ungefähr einen Kilometer von Oberweißburg entfernt.

Christianus Schlick (*16.1.1706 – +13.9.1763) und Elisabetha Saitz (*Freising um 1720-1725? - +nach 13.9.1763)

Christian Schlickh verläßt St. Michael im Lundgau und kommt nach Pest, wo er am 1.6.1736 das Bürgerrecht erhält. Er ist Maurer. Bereits am 30. November des vorangehenden Jahres hatte er Magdalena Pohl, die Tochter des Fuhrmanns Andreas Pohl, geheiratet. Die Ehe bleibt kinderlos. Am 26.1.1744 schließt Christian Schlick eine zweite Ehe mit Elisabeth Saitz. Sie muß als Kleinkind mit ihrem Vater, Johannes Seitz, 1726 aus Freising (Bayern) nach Pest gekommen sein, denn ihr Taufeintrag findet sich nicht im Kirchenbuch von Belvaros. Das Ehepaar Christian und Elisabeth Schlickh hat acht Kinder. Elisabeth Schlick (geb. Saitz / Seitz) überlebt ihren Mann, der 1763 stirbt.

Joannes Georg Schlick (*4.4.1752 - +nach 1793) und Barbara Aibl (*12.11.1761 - +19.4.1832)

Johannes Georg, Sohn des Maurers Christian Schlickh, verblüfft mit seiner

---

ein Christian Schlikh wurde am 4.12.1680 beerdigt, ein Witwer aus Weißburg, 80 Jahre alt, also 1600 geboren. Gertrudis könnte seine Ehefrau sein. Er könnte, was durchaus üblich war, seinen ersten Sohn mit dem eigenen Vornamen getauft haben. Das spräche dafür, daß er und Gertrudis die Eltern des 1637 geborenen Christian Schlick sind.

Berufswahl: er wird Handschuhmacher. Am 18. Juni 1783 erhält er das Pester Bürgerrecht. Fünf Tage später heiratet er Barbara, Tochter des Handschuhmachers Andreas Aeibl. Beim Sterbeeintrag von Barbara Aibl ist sie als *obstetrix* (Hebamme) vermerkt!

Ignatius Schlick d.Ä. (*6.7.1787 – +29.4.1852) und Magdalena Fischer (*2.1.1797 - +17.4.1858)

Ignatius Schlick d.Ä. wählt wiederum einen anderen Beruf als sein Vater: er wird Klempner. Das Bürgerrecht von Pest wird ihm am 26.11.1814 zugesprochen. Im Februar des gleichen Jahres hatte er Magdalena, Tochter des aus Frankenfeld (Bistum Bamberg) stammenden Schneiders Godefried Fischer, geheiratet. Mit ihr hat er 13 Kinder. Einer der Söhne heißt Ignatius.

Ignatius Schlick d.J. (*15.4.1820 – +23.12.1868) und Karolina Philippina Kölber (*26.4.1821 - +1.2.1861)

Ignatius Schlick d.J. gründet – gerade mal 23 Jahere alt - im Jahre 1843 in Buda eine kleine Eisengießerei (*Schlick-Érczöntö*). Ganz offensichtlich hatte er eine beträchtliche Marktlücke entdeckt, denn sein Unternehmen boomt und muß in den folgenden Jahren mehrfach verlegt werden, um die nötigen Räumlichkeiten wie auch günstigere infrastrukturelle Bedingungen zu gewinnen: Von 1844 bis 1854 besteht sie als Schlicksche Eisen-Gießerei (*Schlick-Vasöntöde*) und wird weiter ausgebaut. Von 1858 bis 1862 hat die Schlick'sche Eisengießerei ihren Standort wieder in Buda. 1862 wird das Werk als Eisengießerei und Maschinenfabrik (*Schlick-féle Vasöntöde és gépgyár*) erneut nach Pest verlegt. 1912 fusioniert das Werk zur Schlick-Nicholson Maschinen-, Schiffs- und Waggonfabrik (*Schlick-Nicholson Gép-, Hajó és Waggongyár Rt.*).

Die Gießerei Schlick liefert Eisen- und Stahlteile nicht nur für den Bau der Markthalle. Die Liste der Gebäude ist lang; u.a.sind es: die Prachtbauten *Grasham* und *New Jork,* die *Curia,* die Nationalbank, die Volksoper und die Börse, das Casino in der Leopoldstadt, die zwei Klotild-Paläste, das neue Rathaus, das Volkstheater, die Hauptpost und die Ungarische Akademie der Wissenschaften, die Militärakademie und die Technische Universität, zahlreiche Häuser in der Andrassy út, die Kunsteislaufbahn im Stadtwäldchen, die Markthalle am Battyantér usw. usw.

Unter der Leitung von Ignatius Schlick, aber auch in den Jahrzehnten nach seinem Tod wird das Produktionsprogramm ständig erweitert und umfasst neben den Gießereierzeugnissen auch Dampfmaschinen, Dampfturbinen, Dieselmotoren, Pumpen, Schiffe, Eisenbahn- und Straßenbahnwaggons u.a.. Der dem 1. Weltkrieg folgende Trianon-Vertrag bedeutete mit seinen für Ungarn tragischen Konsequenzen das Ende des bis dahin höchst erfolgreichen Unternehmens.

Adalbertus Schlick (*18.12.1851 - +4.8.1899) und Hermina Bubála (*19.3.1861 -+24.7.1922)

Zusammen mit seinem Schwager Frigyes Langenfeld setzt Bela (Adalbert) Schlick die Arbeit seines Vaters fordert und leitet bis zu seinem Tod im Jahre 1899 die Fabrik. Er heiratet Hermina Bubála. Seine Söhne **Frigyes Endre Istvan** und **Istvan Karoly György** führen die Firma noch so lange wie möglich weiter. Der Absatzmarkt bricht jdeoch zusammen, als Ungarn durch den Trianon-Vertrag zwei Drittel seines Territoriums verliert.

1896 wird Bela Schlick - in Anerkennung der Leistungen, die er und seine Familie erworben haben - in den Adelsstand erhoben. Das Adels-Prädikat ist „kowarczi“.

3.3. Der Stammbaum der Familie Schlick

Mögliche Vorfahren[20]:

*x. Rupert Schlikh *1605 - +11.6.1684 Unterweißburg (79 Jahre alt, Witwer)*
*oo um 1630: Brigitta N. *um 1610 - +vor ihrem Ehemann*
y Christianus 1637?
y Georg 12.3.1639, leg.
y Anna 31.2.1642, leg.
y Martin 29.10.1650, leg.

oder

*x. Christian Schlikh *1600 - +4.12.1680 Weißburg (80 Jahre alt, Witwer)*
*oo um 1625/1630: Gertrudis N. *um 1605/1610 - +5.8.1657 Oberweißburg*
y Christianus 1637?
y Andreas 9.4.1639, leg.
y Anna 21.9.1642, leg.
y Rupert 31.1.1647, leg.

A. **Christianus** *ca.1637 - +26.6.1699 St. Michael, (ca. 62 Jahre alt)
Sagmaister (Sägemeister) in Oberweißburg
oo nach 1668 St. Michael: **Lucia Länschizer** *12.12.1644 - +8.7.1695 Oberweißburg
Eltern: oo 8.2.1644 St. Michael: Andreas Länschizer und Margaretha Zeillerin
B1. Rupertus (filius illeg.) *17.3.1667 St. Michael
B2. **Petrus** *ca. 1675 St. Michael - +11.3.1755 (80 Jahre alt) St. Michael
oo 3.2.1700 St. Michael: **Susanna Pfeiffenberger** *ca. 1675 - +19.11.1755 (80 Jahre alt)
p: Christian Pfeiffenberger *ca. 1632 - +20.4.1702; m: Christina Langitsch
C1. Kein Name angegeben *27.1.1704
C2 **Christianus** *16.1.1706 St. Michael, +13.9.1763 Pest, Maurer; Bürgerrecht 1.6.1736
1.oo 30.11.1735 Pest: **Magdalena Pohl**
*ca. 1703 - +14.11.1742 (39 Jahre alt)
p: Andreas Pohl, Fuhrmann, Bürgerrecht 18.9.1717
2.oo 26.1.1744 **Elisabetha Saitz[21]** *? - + nach ihrem Mann (1763)
D1. Simon *11.10.1747 – 20.1.1764 Pest
D2. Sebastian *13.1.1750 Pest
D3. **Joannes Georg** *4.4.1752 - +nach 1793
Handschuhmacher, Bürgerrecht 18.6.1783
oo 23.6.1783 Pest: **Barbara Aibl** *12.11.1761 - +19.4.1832, Hebamme
p: Andreas Aeibel, m: Theresia
E1. Johannes Georg *19.4.1784 - +14.9.18i34 Handschuhmacher, Pest
oo Josepha Mospek
F1. Philippus *1.9.1812
F2. Philippus Jacobus Georgius *6.10.1820
F3. Julius Joann et Georgius *17.4.1826
E2. **Ignatius** *6.7.1787 - +29.4.1852, Klempner, Bürgerrecht 26.11.1814

---

20 Ein Blick in die Taufbücher von St. Michael im Lungau zeigt, daß es fast die Regel war, daß das jeweils erstgeborene Kind unehelich war. Das ist im vorliegenden Fall von Bedeutung; wenn – nach Einrichtung der Kirchenbücher im Jahre 1639 als erstes Kind einer Familie ein eheliches Kind getauft wurde, ist zu vermuten, daß vor 1639 schon ein uneheliches Kind geboren worden sein könnte.

21 Am 9.12.1726 erhielt Johannes Seitz aus Freising (Bayern) das Bürgerrecht in Pest; er könnte als verheirateter Mann mit Familie (Tochter Elisabeth) nach Pest gekommen sein.

oo 13.2.1814 **Magdalena Fischer** *2.1.1797 - + 17.4.1858
p: Godefried Fischer, Schneider, aus Frankenfeld (Bistum Bamberg) Bürgerrecht 9.5.1796; m: Ursula Ulsin
F1. Henricus Georgius *21.1.1815
F2. Augustus Henricus *28.8.1816
F3. Eduardus *12.8.1818
oo Theresia Grossinger
F4. **Ignatius** *15.4.1820 - +23.12.1868; Gießerei-Inhaber, Bürgerrecht 13.9.1844
oo 16.9.1844 **Karolina Philippina Kölber**
*26.4.1821 - +1.2.1861 (Alsovizivaros)
p: Jakob Kölber; m: Karolina Müller
G1. Karolina *2.9.1845 Ferencvaros
1.oo. Jakab Paczka ?
2.oo 1868 Frigyes Langenfeld
G2. Jozsef *6.3.1847 Ferencvaros
G3. **Adalbertus** (Bela) *18.12.1851 Ferencvaros - +4.8.1899, Gießerei-Inhaber
oo 11.9.1880 **Hermina Bubála** *19.3.1861- +24.7.1922
H1. **Gisella Hermina Anna** *18.5.1882
H2. **Frigyes Endre Istvan** *22.7.1883
H3. **Istvan Karoly György** *2.2.1885
F5. Carolus Rudolphus *13.10.1822
F6. Stephanus Antonius *10.5.1825
F7. Vilhelmus *30.9.1826 - +12.9.1833
F8. Adolphus *4.6.1828 - +13.8.1828
F9. Carolina Barbara *4.11.1831 Zwilling - 1832
F10. Emerica Anna *4.11.1831 Zwilling
F11. Anna *30.5.1833 - 1836
F12. Magdolna *5.9.1835 – 14.7.1846
F13. Sophia Anna *3.5.1838
E3. Joannes et Paulus *26.6.1789
E4. Anna *24.7.1793
D4. Joseph *16.3.1755
D5. Joannes *28.2.1757
D6. Antonius *27.5.1757 – + bis 1763
D7. Joannes *25.8.1760 – 21.3.1798
oo Theresia N.
D8. Antonius *Mai 1763 - +4.10.1763 (5 Monate)
C3. Margaretha *7.12.1708
B3. Christianus *13.3.1681 St. Michael.

3.4. Dokumente der Familie Schlick

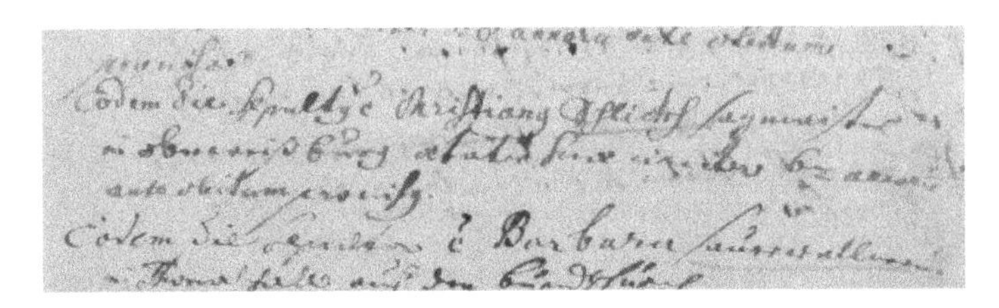

Bestattung von Christianus Schlickh, Sagmaister in Oberweißburg, 26.6.1699
ca. 62 Jahre alt (= *1637)

Taufe von Lucia Länschizer (Tochter von Andreas Länschizer und Margretha) am 12.12.1644

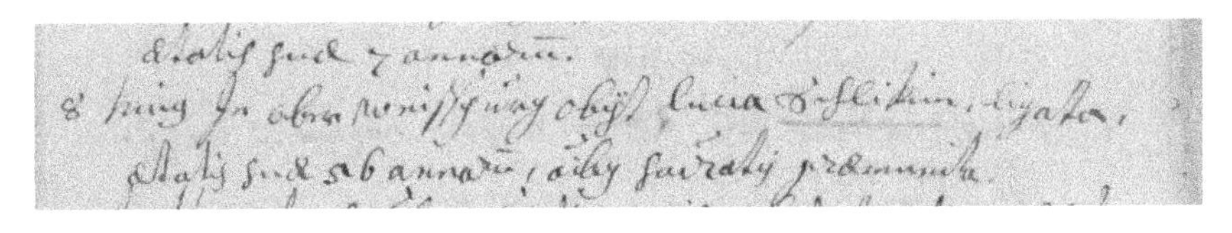

Bestattung von Lucia Schlik (Länschizer), ligata (verheiratet), am 8.7.1695

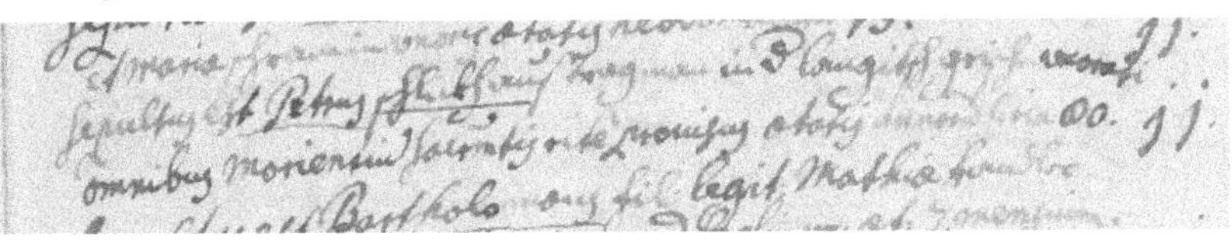

Bestattung von Petrus Schlickh, am 11.3.1755,circa 80 (Jahre alt = *1675)

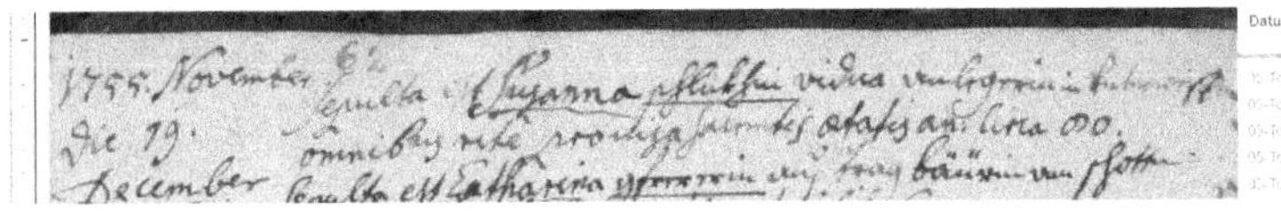

Bestattung von Susanna Schlickh (Pfeiffenberger), Witwe, Anligerin, am 19.11.1755

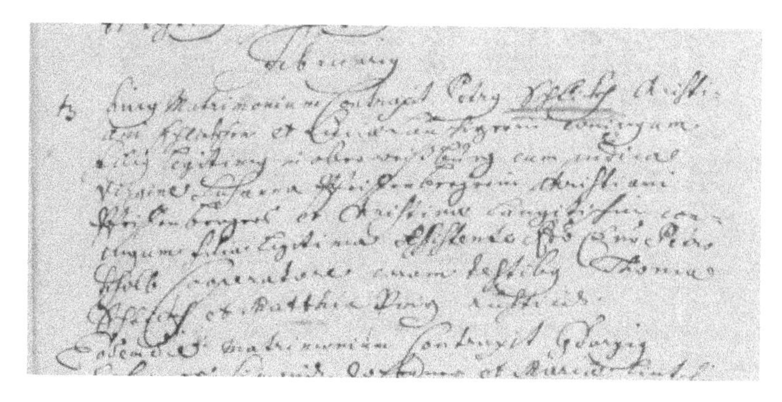

Trauung von Petrus Schlick (Sohn von Christian Schlickh und Lucia Länschizer) in Oberweißburg und Susanna Pfeiffenberger (Tochter von Christian Pfeiffenberger und Christina Langitisch) am 3.2.1700

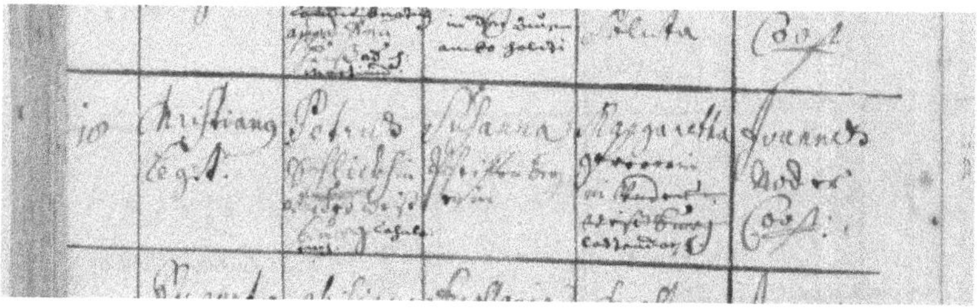

Taufe von Christian Schlickh (Sohn von Petrus Schlickh, casularius = Häusler in Unterweißburg, und Susanna Pfeiffenberg) am 16.1.1706

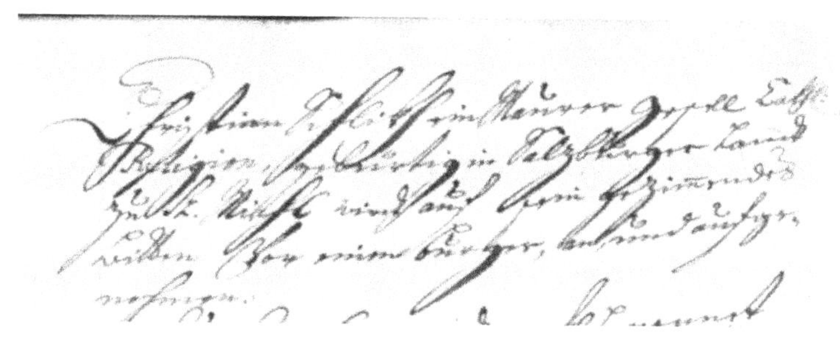

Bürgerrecht der Stadt Pest für Christian Schlick: Ratssitzung am 1.6.1736

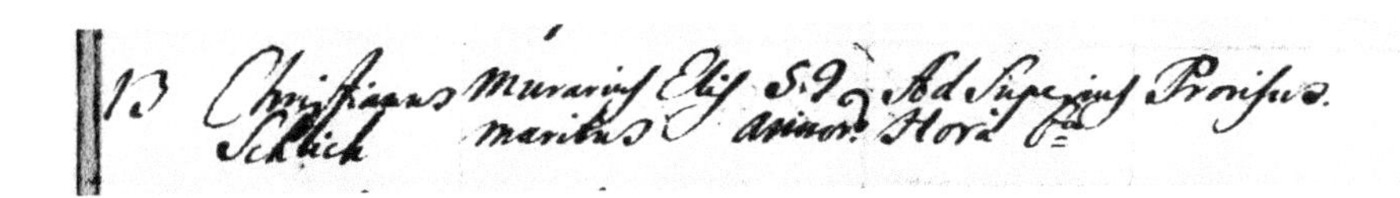

Bestattung von Christianus Schlick, Maurer, Ehemann von Elis. am 13.9.1763

Trauung von Christianus Schlick, Witwer, Maurer, mit Elisabetha Saitziana (Saitz) am 26.1.1744

Taufe von (Joannes) Georgius Schlick am 4.4.1752

Taufe von Barbara Aeibel am 12.11.1761

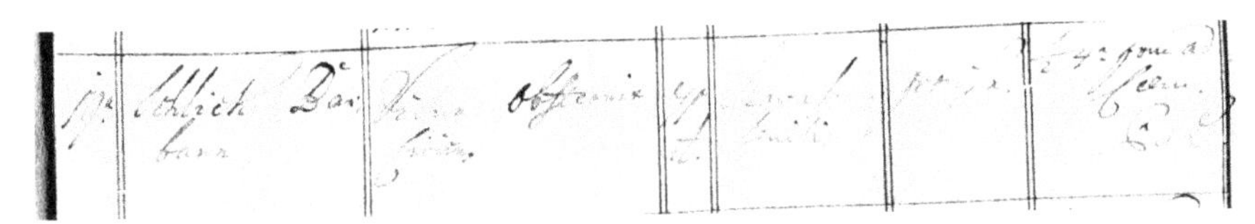

Bestattung von Barbara Schlick (Aibel) am 19.4.1832, vidua, (obstetrix = Hebamme)

Trauung von Joh. Georg Schlick und Barbara Eibel am 23.6.1783

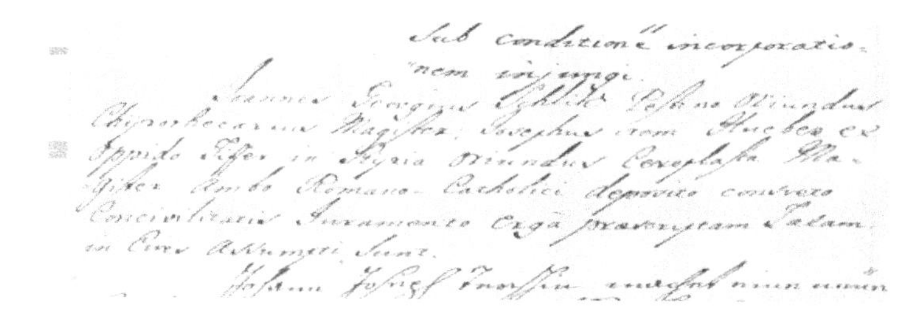

Sub conditione incorporationem injungi.
Joannes Georgius Schlik Pestano Oriundus Chyrurgicarum Magister, Josephus vom Hueber ex Oppido [illegible] in Styria oriundus Coreoplasta Magister Ambo Romano Catholici deposito consueto Concivilitatis Juramento erga praescriptam Taxam in Cives Admissi Sunt.

Bürgerrecht für Joannes Georgius Schlik u.a., Ratssitzung am 18.6.1783

5	Ana	Jacobi Schröder et Cath. [illegible]	[illegible]
6	Ignat.	Georg. Schlik et [illegible] [illegible] et Joh. [illegible]	[illegible]

Taufe von Ignatius Slik am 6.7.1787

29	Schlick Ignatius	[illegible] Laminarius Magister Pest 2 Interior Civitas Franciscum	65 Annorum	Typhus	Generalis absolutio	"	Fulgentius	"

Bestattung von Ignatius Schlick am 29.3.1852

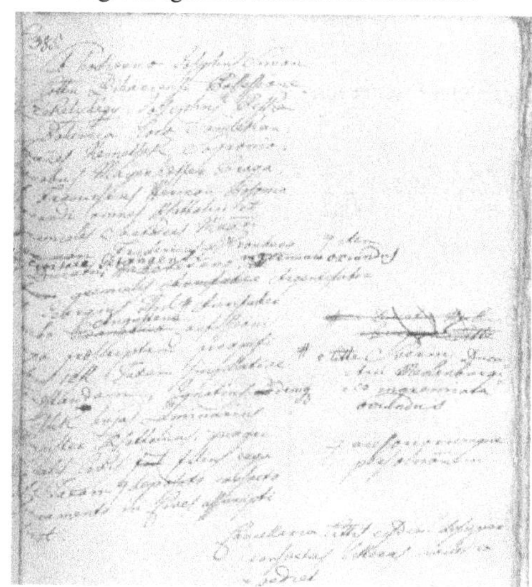

Bürgerrecht für Ignatius Schlik u.a., Ratssitzung am 26.11.1814

1797

[illegible]

Taufe von Magdalena Fischer am 2.1.1797

456	17.	Schlick nata Fischer Magdalena laminarii mag. Vidua	Pest. [illegible] Juglandis 2.	"	1	61 annor.	Paralysis Pulmonum	[illegible] provisa	Com. Boemos. 19a Aprilis	Simon Klempa Parochus [illegible]	

Bestattung von Magdalena Schlick (Fischer) am 17.4.1858

18 / 13a	Quietavit. Cum Dispensatione Ignatius Schlick, coelebs, hujas, Laminator Magister, annorum 27.	Magdalena Fischer, coelebs, hujas, 18 annor.	Christianus Gottlob Eberhardt et Joannes Miller. Par.

Trauung von Ignatius Schlick und Magdalena Fischer am 13.2.1814

15	Ignatius	Ignatius Schlik Laminarius Magister. Magdalena Fischer	RC.	Henricus Lokhaimer Sartor Viduus.	Schönbach.

Taufe von Ignatius Schlik am 15.4.1820

1041	23	Schlick Ignatius fusor metallici ferri, viduus	Pest viae vacca[illegible] 42	1	"	49 annor.	Typhus	6655 provisus	Com. Cuemer 25 Decembr.	Simon Klempa Parochus loci
		Vybiral Antonius	Janiolitz							

Bestattung von Ignatius Schlick am 23.12.1868

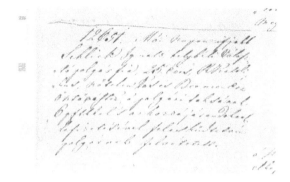

Bürgerrecht für Ignatz Schlick, Ratssitzung am 13.9.1844

26.	Carolina Philippina	Jacobus Kölber Chirurgus Carolina Müller	Philippus Müller Philippina Müller	Idem	Jaurinensis

Taufe von Carolina Philippina Kölber am 26.4.1821

9.	1861. Die 1. Febr.	D. Carolina Schlik nata Kölber, consors D. Ignatii Schlik	Budae	—	foem.	40.		fuit			

Bestattung von Carolina Schlik (Kölber) am 2.1.1861 (Alsovizivaros)

16.	Schlick Ignátz, és Kölber Carolin Katholikusok.	25. éves; 22. éves		Schlick Ágoston	

Trauung Ignatz Schlick und Carolina Kölber am 16.9.1844

18.	Adalbertus. Legitimus.	Schlik Ignatius et Kölber Carolina Rom. Cath.	Franciscum	Kölber Carolus et Jesl Barbara	Dudás Georgius.

Taufe von Adalbertus (= Bela) Schlik am 18.12.1851

Geburt / Taufe von Hermina Bubala am 19. / 24. 3.1861

Trauung von Bela Schlick und Hermina Bubala am 11.9.1880

Schlick Magdolna **született Fischer**

maga és gyermekei **Henrik, Ede, Ignácz, Rudolf, Karolina, Anna Paczka, Sófia**, ugy szinte unoká nevökben keseredett szivvel jelenti felejthetetlen férjének, illetöleg atyjok és nagyatyjoknak

SCHLICK IGNÁCZ,

bádogos mesternek martius 29-én, éltének 65-ik, boldog házasságának 39-ik évében ideglász következtében, a' haldoklók szentségeinek felvétele után az Urban boldog kimulását.

Az elhunytnak földi tetemei f. h. 31-én delutáni 5 órakor a' kerepesi ut melletti uj temetöben fognak eltakarittatni, az engesztelö szent mise áldozatok pedig april 3-án délelötti 11 órakor a' belvárosi sz. Ferenczieknél, és hetfön april 5-én délelötti 10 órakor Ferencz külvárosi egyház plébánia templomában tartatni.

Lakása Ferencz városi két nyul utczában 9-ik sz. alatt a' vasöntö mühelynél.

Magdalena Schlick, geborne **Fischer**, gibt in ihrem und ihrer Kinder **Heinrich, Eduard, Ignatz, Rudolf, Karolin, Anna Patzka, Sophie** nebst Enkel und Enkelinnen Namen mit betrübten Herzen Nachricht von dem Hinscheiden ihres unvergeßlichen Gatten, resp. Vater und Großvaters

IGNACZ SCHLICK,

Spengler Meister, welcher den 29-ten März im 65-ten Lebensjahre und in 39-ten Jahre seiner glücklichen Ehe in Folge eines Nervenfiebers nach Empfang der heil. Sterbsakramente seelig im Herrn entschlafen ist. Die irdische Hülle des Verblichenen wird den 31-ten d. M. Nachmittags 5 Uhr auf den neuen Friedhofe nächst der Kerepescher Linie zur Erde bestattet, und die heiligen Seelenmessen den 3-ten April Vormittags 11 Uhr in der inneren Stadt Franziskaner-Kirche, und Montag den 5-ten in der Franzstädter Pfarrkirche um 10 Uhr abgehalten werden.

Wohnung Franzstadt, 2 Haasengasse Nro 9, bei der Eisengießerei.

1852

Totenzettel für Ignacz Schlick am 29.3.1852

Schlick Ignáczné

Halotti jelentés.

Folyó év február 1-jén reggeli 5 órakor a Mindenhatónak szent akaratja következtében

SCHLICK KAROLINA született KÖLBER

asszonyság,

39-dik évében hosszasb betegség után, a halotti szentségek ájtatos felvétele után, jobb létre átszenderült.

A megboldogultnak hideg tetemei vasárnap február 3-kán délutáni 3 órakor lakásától Budán főutcza 118/119. szám csendes beszenteltetés után a vizivárosi sirkertben fog közzététetni.

A halotti szent mise pedig hétfőn délelőtt 10 órakor a P. P. Kapuczinusok templomában fog tartatni.

Budán 1861. február 1-jén.

A megboldogultnak

férje: **Schlick Ignácz**, vasöntöde tulajdonos.
gyermekei: **Sarolta, Béla.**
édes anyja: **Kölber Karolin.**
testvérei: **Kölber Fülöp, Kölber Károly,** kocsigyárnokok.
Kölber Ágost, kereskedő.
Kölber János, kereskedő New-Yorkban.
Kölber Ferencz, kereskedő.
Kölber Louisa, férjezett **Kauser**.
Kölber Mária, férjezett **Tóth.**

Totenzettel für Karolina Schlick (Kölber) 2.1.1861

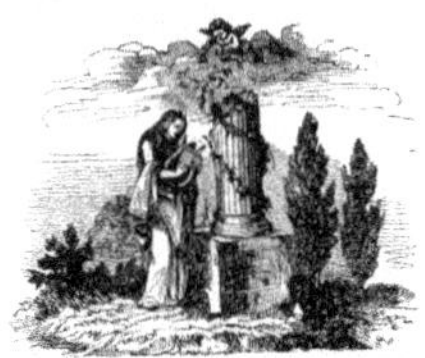

Langenfeld Frigyes saját, továbbá neje szül. **Schlick Sarolta**, és sógora **Schlick Béla**, valamint a többi rokonok nevében szomorodva jelenti öszinten tisztelt ipának, illetöleg atyjának, fivérének és nagybátyjának

SCHLICK IGNÁCZ

vasöntöde tulajdonosnak

a vallás vigaszaiban való részesülése után, hosszas sulyos betegségben mai napon történt kimultát.

Földi maradványai pénteken, deczember 25-én, délután 3 órakor, a váczi uton 42. szám alatt levő gyárból a kerepesi temetőbe szállittatnak, az engesztelő szent mise-áldozat pedig deczember 29-én, d. e. 9 órakor, a terézvárosi egyházban fog megtartatni.

PEST, deczember 23-án 1868.

Friedrich Langenfeld giebt hiermit in seinem, so auch im Namen seiner Gattin **Sarolta** geb. **Schlick**, seines Schwagers **Béla Schlick** und im Namen seiner übrigen Anverwandten, die traurige Nachricht von dem höchst betrübenden Hinscheiden seines innigstverehrten Schwiegervaters, resp. Vaters, Bruders und Onkels, des Herrn

IGNATZ SCHLICK

Eisengiesserei-Besitzer,

welcher in seinem 49-ten Lebensjahre, heute nach längerer schwerer Krankheit, versehen mit den Tröstungen der heil. Religion, in ein besseres Jenseits entschlummerte.

Die irdische Hülle wird Freitag den 25. December, Nachmittags 3 Uhr von der Fabrik, Waitznerstrasse Nr. 42 auf den Kerepescher Friedhof bestattet, die Seelenmessen aber am 29. December, um 9 Uhr Vormittags in der Theresienstädter Pfarrkirche abgehalten.

PEST, den 23. December 1868.

Totenzettel für Ignatz Schlick 23.12.1868

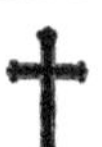

Özvegy kovarczi Schlick Béláné szül. **Bubala Hermin** mint neje, **Gizi, Friczi** és **Pista** mint gyermekei a maguk, valamint az alulirott rokonság nevében is fájdalomtól megtört szivvel jelentik, hogy forrón szeretett férje, illetve édesatyjuk, testvéröcscse, sógoruk és rokonuk

kovarczi SCHLICK BÉLA

a Schlick-féle gépgyár részvénytársaság vezérigazgatója, a Ferencz Józsefrend lovagja

folyó hó 4-én reggeli $^1/_2$ 8 órakor, életének 48-ik, legboldogabb házasságának 19-ik évében az Urban csendesen elhunyt.

A drága halott földi maradványai folyó hó 6-án, vasárnap délután $^3/_4$ 5 órakor fognak a gyászházban: **VI. ker., Podmaniczky-utcza 16 szám alatt,** a róm. kath. egyház szertartása szerint ünnepélyesen beszenteltetni és a kerepesi út melletti sirkertben levő családi sirboltba örök nyugalomra helyeztetni.

Az engesztelő szent miseáldozat folyó hó 8-án, kedden délelőtt 10 órakor fog a terézvárosi plébániatemplomban a Mindenhatónak bemutattatni.

Budapest, 1899. augusztus hó 4-én.

Béke poraira, áldás emlékére!

Özv. Langenfeld Frigyesné
szül. **Schlick Sarolta**
mint nővére.

Bubala György
és neje szül. **Wagner Hermina**
mint apósa és anyósa.

Bubala Sándor
mint sógora.

Bubala Sándorné
szül. **Keller Betty**
Langenfeld Luiza
mint sógornői.

Mendl István
Wagner Sándor
Wagner Nándor
mint nagybátyái.

Wagner Nándorné
szül. **Leyritz Olga**
mint nagynénje.

Entreprise des pompes funebres fiókja: **Andrássy-út 80.**

Nyomt. Buschmann F. Budapest.

Totenzettel für Béla (= Adalbert) kovarczi Schlick am 4.8.1899

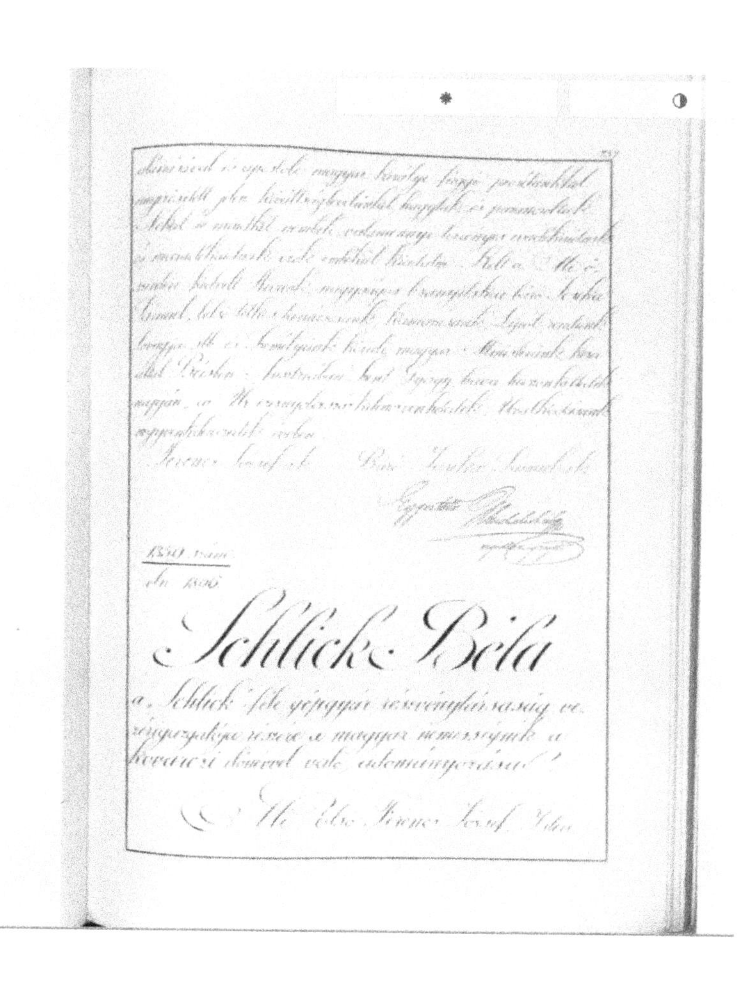
Schlick Béla

a Schlick féle gépgyári részvénytársaság vezérigazgatója részére a magyar nemességnek a
kovácsi előnévvel való adományozásáról

Mi Első Ferencz József Isten

Adelsbestätigung für Bela Schlick 1896 (1) [királyi könyvék]

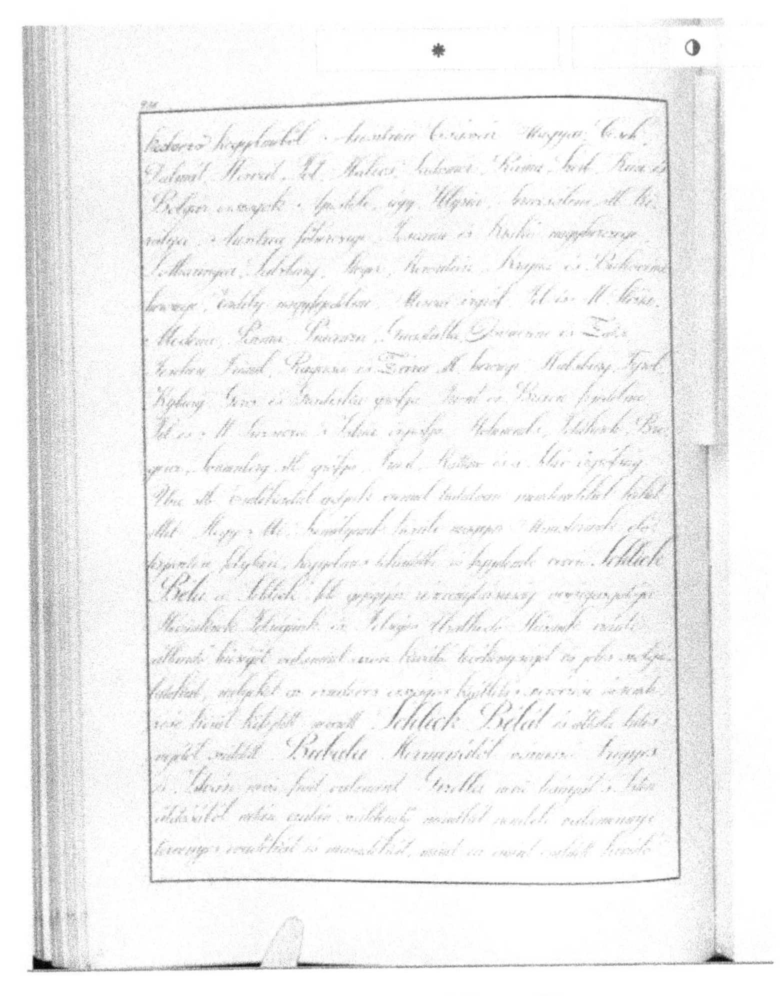

Adelsbestätigung für Bela Schlick 1896 (2) [királyi könyvék]

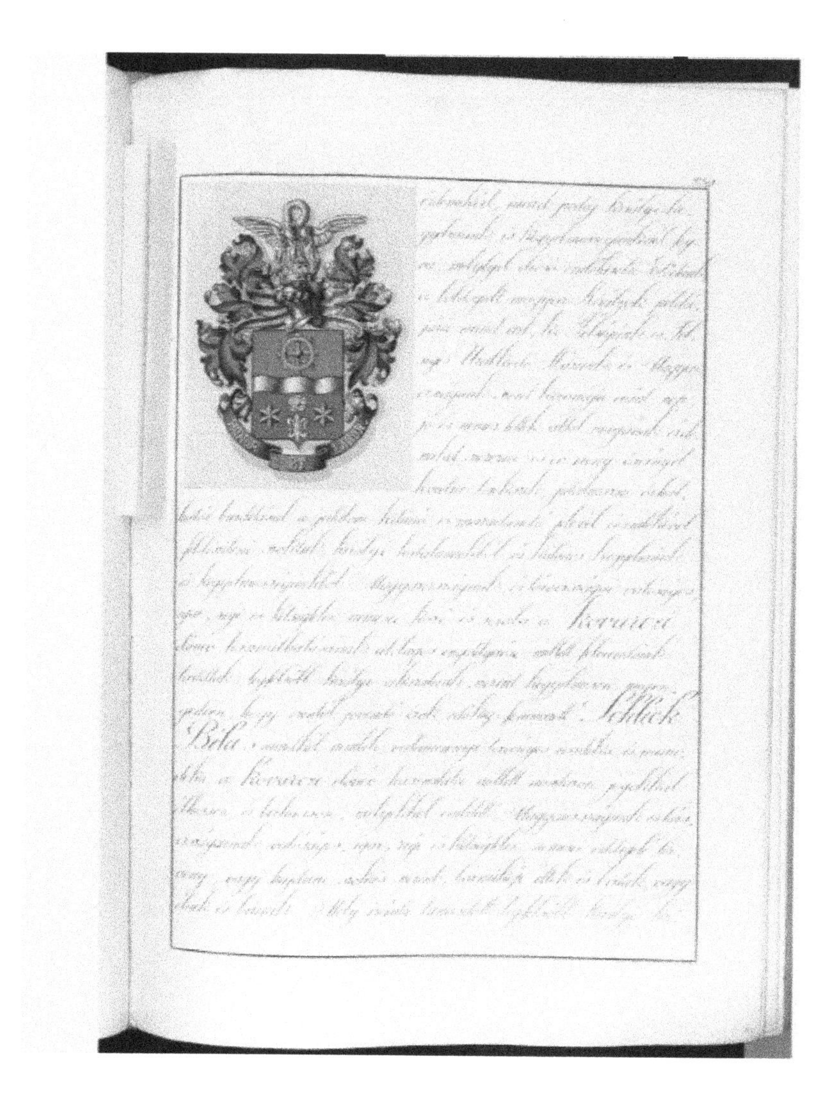

Adelsbestätigung für Bela Schlick 1896 (3) [királyi könyvék]

[illegible]

Adelsbestätigung für Bela Schlick 1896 (4) [királyi könyvék]

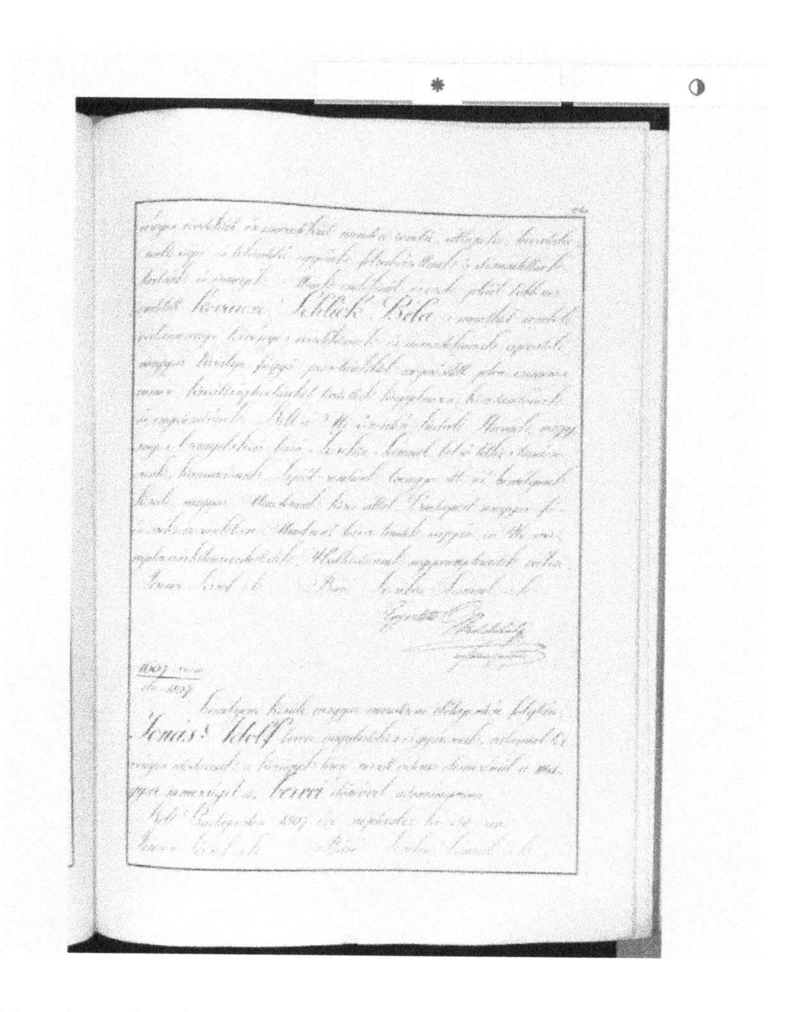

Adelsbestätigung für Bela Schlick 1896 (5) [királyi könyvék]

Literaturverzeichnis

Kirchenbücher von Budapest

Kirchenbücher von Duttenberg

Kirchenbücher von St. Michael im Lungau

Ratsprotokolle der Stadt Pest

Königliche Bücher (királyi könyvék)

Végrendeletek / Testamenta: HU BFL – IV.11002.y

Baum, Hermann: Wagen- und Kutschenhersteller in Pest, Buda und Budapest 1756 – 1928, München 2015

Baum, Hermann: Bürger-Familien in Buda-Pest und Miskolc, 4. Auflage, Norderstedt 2018

Blaas, Peter; Miening / Tirol: „Spielkartenmacher in Alt-Tirol": www.talon.cc/Hefte/Talon20-p026pdf

Gelléri Mór: A magyar ipar uttöröi, élet- és jellemrajzok, Budapest 1887, 117-122

„Giergl család": Künstlergenerationen. Drei Jahrhunderte der Familie Györgyi-Giergl, www.giergl.hu

Gieseler Albert: Kraft und Dampfmaschinen, Mannheim 2009

Horváth Péterné: Schlick Ignàc vasöntö és a Schlick-gyàr története

(XIII. Kerületi, helytörténeti füzetek), Budapest 2010

Ignatius Schlick, Artikel von Baum Hermann am 25.9.2016 neu in Wikipedia gesetzt.

Jordan Károly-Kócziánne Szentpéteri Erzsébet: A Kölber-Kocsigyár története, in: A Magyar Müszaki és Közlekedési Múzeum évkönyve 3, 1974-75, 213-236

Spielkartenmaler, Maler, Glasmacher, Silberschmied, Architekt. Ausstellung über die Künstlerfamilie Giergl-Györgyi in Budapest; in: Unsere Post, Februar 2007, Nr.2, 20-21

Vörös Károly: Egy pesti család regénye, èlet és tudomány 33-35, 1970 VIII